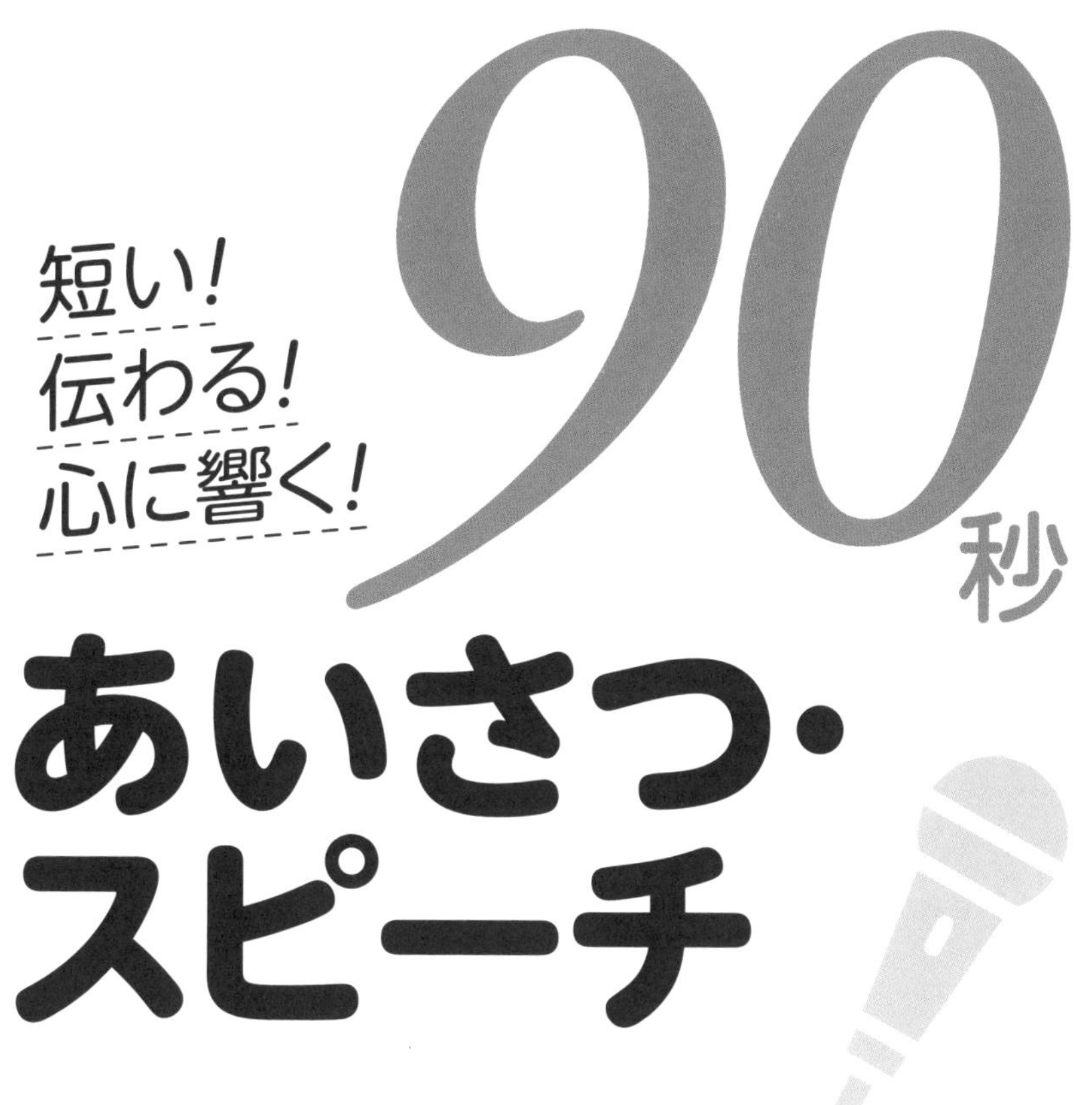

短い！
伝わる！
心に響く！

90秒あいさつ・スピーチ

青い鳥スピーチ研究所・著

法研

はじめに

日ごろから大勢の前でスピーチするのに慣れていて、スピーチが得意だという方はめったにいません。結婚式や葬儀、あるいは仕事や子どもの学校行事などでスピーチを依頼され、「さて、何をどう話したらよいのだろう?」と不安に感じた経験は、多くの方がお持ちかと思います。

「何を話せばよいかわからない」「そもそも人前に出るのが苦手」「うまく話せる自信がない」など、スピーチに対して抱える不安の多くは、「あまり経験がない」ことから生じるのではないでしょうか。そこで、スピーチに対する不安をぬぐい去るために本書を上梓しました。

まず、「何を話したらよいかわからない」という方は、本書に掲載した文章例を読んでいただければ、どういう内容を話せばよいかが簡単に理解できると思います。「あいさつの構成」や「ポイント」などをスピーチの土台にして、それに肉付けするように、自分の経験や考えをスピーチ原稿として書いてみましょう。当日、ぶっつけ本番で話すのは、あまりにも危険です。

次に、「上手な話し方」というと、アナウンサーやナレーターといった専門家の落ち着いた話し方が思い浮かびます。「1分間に300文字読むスピード」がこれらの職業の方が話すときの目安とされています。その速度を体験するために、本書では一つの文章例を約450字で作成し、これを約90秒で読むと聞き手に伝わりやすいスピードで話すことができるようになっています。実際に試してみてください。

最後に、「人前に出るとあがってしまう」という方は、スピーチ原稿を作ったら、ぜひ家族や知人の前で披露してみてください。知っている相手に向かって話すのは気恥ずかしいかもしれませんが、いきなり大勢の前で話そうとすると気後れしてしまうものです。一人でも二人でも構いません。声に出して、人前で話す練習を何度もすると、そのうちに慣れてきて自信がつくので、当日大勢の聞き手の前でもあがらずにすむでしょう。「経験が少ない」のを補えばよいのです。

これ以外にも、本書にはその場に合った上手なスピーチのためのヒントが随所に散りばめられています。あいさつやスピーチは何も特別なものではなく、人と人とのつながりを強め、コミュニケーションを円滑にするためのものです。気負いすぎず、背伸びしすぎない、等身大のあなたのスピーチを待っている方々に届けてください。

青い鳥スピーチ研究所

~もくじ~

第4章 各種祝いの会でのあいさつ・スピーチ 67

第5章 ビジネスの場でのあいさつ・スピーチ 91

第7章　地域活動でのあいさつ・スピーチ

大項目

あいさつ・スピーチの内容を示しています。この内容が近い文例に目を通すと、アレンジなどしやすくなります。

001例
主賓のあいさつ

スピーチする人
50代／男性

新郎側の主賓・勤務先上司のあいさつ

はじめ　主題・エピソード　むすび

本日は、この佳き日にお招きいただきましてありがとうございます。❶**ただいまご紹介にあずかりました、新郎・翔平君の上司にあたります営業部の山口と申します。**

❷**翔平君とは入社以来8年の付き合いになります。翔平君は、入社当初たいへんおとなしい印象で、営業職が彼に務まるのかと心配しておりました。**しかし、私のそんな心配は杞憂に終わりました。どの取引先へも足繁く通い、またどんな要望にもできる限り応えようとする真摯な態度で、徐々に取引先の信頼を得ていったのです。きっとこれからの結婚生活においても、新婦の、またご家族の信頼を裏切らないと確信しております。新婦の真里さんには先日初めてお目にかかりましたが、とても明るく、細やかな気配りができる素敵な女性です。どうぞ翔平君のことをよろしくお願いいたします。

❸**お二人の幸せとご両家のご繁栄をお祈りして、お祝いのあいさつとさせていただきます。**本日は、まことにおめでとうございます。

あいさつの構成
①自己紹介
↓
②新郎のエピソード
↓
③はなむけの言葉

ポイント
新郎との関係を簡潔に。新郎の人柄がわかるエピソードを入れ、上司から見た新郎の仕事ぶりを評価し、有能な人物であることを伝える。

注意点
上司ぶった態度や会社のPRはNG。出席者に自分より社会的地位が高い人がいる場合、「僭越ではございますが、一言ごあいさつさせていただきます。」と加えるとよい。

34

スピーチする人

この文章の話者の年代と性別の目安を示しました。話者の年代や性別に合った文章を作る参考にしてください。

小項目

あいさつ・スピーチのタイトルを示しています。

あいさつの構成

文章の基本的な構成を3段階で示しています。この順番に沿って、文章を組み立てます。

注意点

この内容のスピーチで失敗しないよう、注意すべき点です。失敗しないことは、その人の知性や教養をさりげなくアピールすることにつながります。

ポイント

この内容のスピーチにおける重要なポイントです。このポイントをはずさないようにすると、内容がぶれず、聞き手に伝わりやすい文章が作れます。

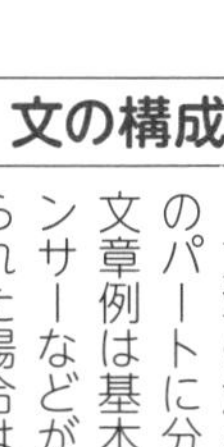

文の構成

文章の流れを、わかりやすく「はじめ」「主題・エピソード」「むすび」の3つのパートに分けています。これを意識すると、メリハリのある文章になります。文章例は基本的に約450字を目安にしています。これを90秒で読むと、アナウンサーなどが読むスピードに近くなります。もし、スピーチに3分の時間が与えられた場合は、この倍の分量の文章（約900字）にすればよいことになります。

002例
主賓のあいさつ

スピーチする人
60代／男性

新婦側の主賓・勤務先社長のあいさつ

はじめ　主題・エピソード　むすび

新郎新婦ならびにご両家のみなさま、本日はまことにおめでとうございます。

❶**わたくしは、新婦の遥さんの勤務する好天堂出版で代表取締役をしております加藤と申します。**ここで一言、お祝いの言葉を述べさせていただきます。

私の会社は、社員わずか20人ばかりの小さな出版社で、歴史や芸術、文化を対象とした書籍を作っております。❷**その中で、遥さんは編集部に所属し、よい本を作ろうと日々編集業務に励んでくれています。**遥さんは学生時代より英文学を専攻され、英語をはじめフランス語にも精通し、それがわが社の本作りに大いに生かされています。なにぶん少人数の精鋭部隊で働いているので多忙な日々で申し訳なく思うこともありますが、彼女はつねに前向きで、どんなに忙しいときでもいつも元気で会社の雰囲気を明るくしてくれています。

❸**その持ち前の前向きさで新郎の隆さんを支え、困難があっても乗り越えていってください。**お二人の築く家庭は、きっと温かいものになると思います。

どうぞ末永くお幸せに。

あいさつの構成

①自己紹介
↓
②新婦のエピソード
↓
③はなむけの言葉

いろいろな結婚式（挙式）

・教会式
キリスト教会で、神の前で結婚を誓い、愛の証として指輪を交換する。結婚式場やホテルなどにあるチャペルでも可能。

・神前式
神社・神殿で、神道の神々に誓いを立てる結婚式。列席は両家の親族が基本。

・人前式
家族や友人などのゲストが証人となる結婚式。

・仏前式
お寺で仏さまとご先祖さまに結婚を報告する。

35

豆知識

スピーチの内容に関連して、知っておくとためになる知識を紹介しています。

基本の文章

文章の基本となる部分です。「あいさつの構成」の①～③と連動しています。

ワンフレーズの〝決め言葉〟集

スピーチで使える「決め言葉」を集めています。スピーチ以外でも、短い立ち話やメールの文面、リモート会議や電話でのあいさつなどにも使うことができます。

「決め言葉」を使うと、相手に失礼がなく、折り目正しい人であることを示すことができます。

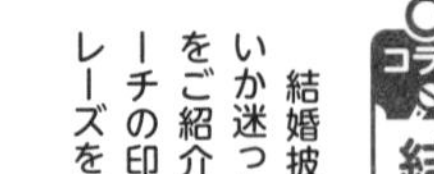

コラム

結婚披露宴で使えるワンフレーズの〝決め言葉〟

結婚披露宴のスピーチで、何を話せばよいか迷ったとき、間違いのない〝決め言葉〟をご紹介します。これを入れておけばスピーチの印象が締まって、バシッと決まるフレーズを使ってみましょう。

●スピーチの冒頭にふさわしいフレーズ

○○さん、△△さん、ご結婚おめでとうございます。

本日は、この佳き日にお招きくださりありがとうございます。

本日はこのおめでたい祝儀にお招きいただき、まことに光栄に存じます。

ただいまご指名にあずかりました○○と申します。

新郎新婦ならびにご両家のみなさま、本日はまことにおめでとうございます。

ご両家、ご親族のみなさま、心よりお祝い申し上げます。

新生活のスタートを、心よりお慶び申し上げます。

お二人の門出を心よりお祝い申し上げます。

まことに僭越ではございますがご指名をたまわりましたので、一言お祝いを申し上げます。

65

本書で紹介した文章例の該当箇所に挿入したり、この「決め言葉」をヒントに文章を作ったりすることもできます。

第1章
あいさつ・スピーチ

5分でわかる“勘どころ”

好かれるあいさつ・スピーチと、嫌われるあいさつ・スピーチ

こんなスピーチは嫌われる

人前であいさつ・スピーチをする場合、スピーチ慣れしている人はともかく、普通はなかなかそういう機会がなく、スピーチを頼まれたときに不安に思う人が多いでしょう。「好かれるスピーチ」にしたいと思うのであれば、まずは「嫌われるスピーチ」とは何かを考えてみましょう。

①長いスピーチ

嫌われるスピーチ第1位は、なんといっても「長い」スピーチです。どんなに感動的なスピーチでも、長いと聞き手は途中で飽きてしまいます。

②要領を得ないスピーチ

だらだらといろいろな話が出てきて、いったい何を話したいのか要領を得ないスピーチは、聞き手をとても疲れさせます。

③自分の話が多いスピーチ

自慢話に終始するようなスピーチは嫌われます。聞き手が聞きたい話は、あなたの自慢話ではありません。

好かれるスピーチとは

①簡潔にまとまっている…伝えたいことを、要点を押さえて話しましょう。

②ＴＰＯに合っている…スピーチは、その「場」と自分の「立場」に合ったテーマを選びます。

事前にスピーチ原稿を作って、声に出して読む練習をするとよいでしょう。できれば家族や知人に聞かせて意見をもらうと、さらに好感度の高い、よいスピーチになるはずです。

1分間300文字がアナウンサーの目指す文字数

緊張から早口になってしまいがち

あいさつ・スピーチするときには、緊張から気が焦って、早口になってしまいがちです。早口になってしまうと、内容が聞き取りづらかったり、聞き手が話についていけなかったりします。また、話し手の緊張が聞き手に伝わると、聞き手が落ち着かない気持ちになってしまうこともあります。

アナウンサーは1分間に300文字

アナウンサーやナレーターなど、話すことを職業としている人の間では、1分間で300文字を話すことが目安とされています。それは、その速度で話すと、聞き手が最も話を聞き取りやすいからです。

本書の文章例は、一つのスピーチで約450文字を目安にしています。つまりこれを90秒で読むと、アナウンサーの読む速度になり、より聞き手の心に残りやすくなります。

そのためには「普段よりややゆっくり」、「相手に話しかけるように話す」ことを意識してみましょう。棒読みだと、スピードはどんどん速くなります。口をきちんと動かしてはっきり発音し、声をおなかから出すようにすると、おのずとゆっくりになります。

間の取り方も意識して

スピーチでは、「間」の取り方も大切な要素の一つです。「間」とは、話と話の間にちょっとした無言の時間を置くことですが、難しく考えずに「息継ぎ」をすればよいのです。この適度な「間」があると、スピードが加速するのを抑えることができます。

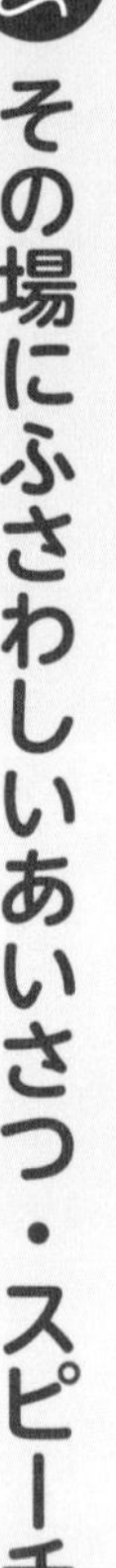

その場にふさわしいあいさつ・スピーチを

どういう場でスピーチをするのか

あいさつ・スピーチを頼まれたとき、最初に何を考えればいいでしょうか。それは、あいさつ・スピーチを「どういう場で」行うのかということです。結婚披露宴や葬儀、学校や地域の行事など、さまざまな「場」があり、その「場」にふさわしいものでなければならないことは言うまでもありません。

ふさわしいテーマは何か

「場」の次に考えるべきは、「テーマ」を何にするかです。たとえば、結婚披露宴に学生時代の友人として招かれたのであれば「楽しい学生時代のエピソード」など、葬儀で遺族代表としてあいさつをするのであれば「故人の思い出と出席者への感謝」などがふさわしいテーマになるでしょう。

「テーマ」を考えるときに大事なのは、「聞き手は誰なのか」ということです。相手が「子ども」なのか「大人」なのか、年齢層によって内容は当然異なります。また、同じ大人向けのスピーチでも、聞き手が「同級生がメイン」なのと「会社や取引先の人がメイン」のときでは、求められるテーマや言葉遣いなども変わってきます。

信頼に応えるスピーチを

スピーチを依頼されるのは、あなたがその依頼者に信頼されているからです。せっかくの「場」の雰囲気を壊すようなことがあってはなりません。見当違いなスピーチをしないよう、「場」「テーマ」「聞き手は誰か」を十分に考慮しましょう。

あいさつ・スピーチをするときの姿勢や態度

聞き手の耳に入ってこないスピーチ

話す内容もさることながら、あいさつ・スピーチをするときには姿勢や態度も大切です。

誰しもスピーチするとき、不安や緊張から自信なさげだったり、落ち着きがなかったりするものですが、それを見ている側の気持ちはどうでしょうか。「この人のスピーチは大丈夫だろうか？」と、その様子に気を取られてしまい、おそらくスピーチの内容は耳に入ってこないでしょう。

逆に、スピーチ慣れしている人にありがちなのは、馴れ馴れしい態度が出たり自信満々な様子が鼻につく話し方になったりすることです。聞き手からすると、その様子に嫌悪感をもってしまい、この場合もスピーチの内容は二の次になってしまいます。

聞き手に受け入れられるよい姿勢と態度は？

スピーチのとき、どんな姿勢や態度が好まれるのでしょうか。

［悪い例］

・頭をかいたり手で顔を触ったりする
・視線を泳がせる、キョロキョロする
・貧乏ゆすりをする

［よい例］

・足は閉じ、つま先をやや開いて、背筋を伸ばす
・手を自然に前で軽く組む
・視線は原稿ではなく、聞き手に向ける（顔を上げる）

よい姿勢や態度で、聞き手に「この人のスピーチを聞きたい」と思わせるようにしたいものです。

あがらないための工夫

なぜあがってしまうのか？

「あいさつ・スピーチは苦手」だという人は、たいてい「人前で話すとあがってしまう」と言います。その一番の理由は、「失敗してはいけない」というプレッシャーから緊張状態になることでしょう。また、「これで大丈夫だろうか」「しらけてしまわないだろうか」などと不安を感じてあがってしまうこともあります。「場数を踏めば緊張しなくなる」と言われますが、そう簡単な話ではないでしょう。

あがらないためにできること

では、絶対にあがらないようにすることはできるのでしょうか。残念ながら、その特効薬のようなものはありません。しかし、できるだけあがらないようにする方法はいくつかあります。

①準備をしっかりする

当日まで「何を話すか考えていない」というのは論外です。事前に原稿を書いて、練って、声に出して読む練習をしておくことは、誰でもできます。

②無理をしない

人は実力以上の力を出そうとすると緊張します。ですから、無理は禁物。原稿を作るとき、使い慣れていない難しい言葉ばかりを使ってみたり、人を笑わせるのは得意でないのにウケを狙った話し方をしようとしたりする必要はありません。

③リラックスする

当日はできるだけリラックスしましょう。スピーチの前に深呼吸するなど、自分に合った方法で緊張をほぐしてください。

相手の心に響くあいさつ・スピーチのコツ

スピーチを上手に演出する

あいさつ・スピーチをする際に大切な要素の一つに、その集まりの雰囲気に合う「声のトーン」があります。たとえば、学校の運動会では、場を盛り上げるような元気で明るいトーンで話します。一方、卒業式や入学式のような式典では、落ち着いたトーンで話し、おごそかな雰囲気を壊さないようにします。人によって声の質は違いますが、「声のトーン」を意識することで相手に与える印象はガラリと変わります。声のトーンを利用して、自分のスピーチを上手に演出してみましょう。

過剰な演出は逆効果

ただし、演出が大げさすぎると、聞き手をしらけさせてしまうので加減に気をつけてください。「トーン」＝「声の大きさ」ではありません。最初から最後まで大きな声で話せば、何を伝えたいのかぼんやりしてしまいます。どの部分を大きな声にすれば効果的なのかを、考える必要があります。

心を込めて話すことが大切

あいさつ・スピーチにおいて何が相手の心に響くのか、それは「話し手の人柄、誠実さ」です。といっても、急に人柄や性格を変えることはできません。できるのは、「心を込めて話すこと」だけです。多少たどたどしくても、一生懸命に心を込めて話そうとしていることは聞き手に好意的に受け止められます。「自分の話を聞いてもらいたい」と思う気持ち、それが相手の心に響くスピーチになるのです。

敬語の基本と忌み言葉

敬語は人間関係において大事なもの

「敬語」というと、「うまく使えているだろうか」と不安になる人は多いでしょう。敬語をきちんと使える人は社会人として認められ、使えない人は失礼な人というレッテルを貼られます。

日本では、目上の人を敬うことは大切だと教えられます。心の中で敬うだけでなく、言葉遣いによってその気持ちを表すことができるのが「敬語」です。

さまざまな敬語を使い分ける

敬語には、三つの種類があります。どれも、相手を尊重して敬意を表すことができる、コミュニケーションにおいて非常に大切なものです。

・尊敬語…目上の方や相手を尊敬する気持ちを表す言葉です。

・謙譲語…自分を一段低くして話すことで、相手を敬う言葉です。

・丁寧語…丁寧な言い方をすることで、相手に対する敬意を表す言葉です。

忌み言葉に気をつける

結婚披露宴における「別れる」や「切れる」といった不幸を連想させる言葉や、葬儀における「四（「死」につながる）」や「九（「苦」につながる）」などの言葉を「忌み言葉」と言います。また、「重ね重ね」「かえすがえす」のように、同じ言葉を繰り返すのを「重ね言葉」と言います。使ったときに、相手が不快な思いをしたり失礼になったりするような言葉は避け、別の言葉に言い換える配慮が必要です。

リモートによるあいさつ・スピーチのコツ

リモートでのスピーチは難しい？

コロナ禍では、さまざまな行事がリモート（オンライン）で行われました。現在では対面の行事も復活していますが、その便利さから依然としてリモートでの行事は存在します。

リモートでのコミュニケーションは、

・感情・意志が伝わりにくい
・相手からどのように見られているかわからない
・相手の反応が届きにくい

といったことがあり、リモートはやりづらい、苦手、不安という声を耳にします。

リモートでのスピーチのコツ

では、とくにリモートにおけるスピーチのコツや注意点をまとめてみます。

①はっきりした口調で話す

画面越しなので、話し手の表情・感情などは対面より伝わりにくくなります。はっきりした口調でわかりやすい言葉を使うと、伝わりやすくなります。

②手短に話す

対面でももちろんそうですが、要領よくまとまった話をすることが大事です。時間的にも、短時間で話すほうがいいでしょう。

③画面越しの見た目を気にする

話すときにパソコンの画面を見て話すのではなく、カメラに視線を向け、姿勢を正しくして話すことが大事です。また、リモートの場合は自分の背後も映ります。バーチャル背景を利用する場合は、その場にふさわしいものかどうか確認してください。

原稿の基本的な書き方

事前に原稿を準備するメリット

当日にあわてず、あがらず、落ち着いてスピーチをするために、事前に原稿を書いておきましょう。事前に原稿を準備することで、次のようなメリットがあります。

・求められる内容・時間に合わせたものにできる
・書くことで、言いたいことを整理できる
・事前に話す練習ができる

当日、話す内容を小さなメモに書き、それを見ながら話をしてもよいのですが、実際は余裕がなくなり、顔も下を向きがちです。できれば原稿を暗唱していくと、姿勢もよく、聞き手にまっすぐに視線を向けて話せます。万一のときのために、お守り代わりにメモを持っていくと安心です。

なお、自分で話す練習をした後、誰かに聞いてもらいましょう。感想をフィードバックしてもらうとさらによい原稿になるでしょう。

原稿の書き方

文章を書くときには、「起・承・転・結」を意識して書くことが大切といわれます。「起」で話を始め、「承」で話を展開し、「転」で話を転換したあと、「結」でまとめるという組み立てです。

あいさつやスピーチの場合は、もう少しシンプルに、「起承転結」の「承」と「転」をまとめ、「起」→「①はじめ」、「承・転」→「②主題・エピソード」、「結」→「③むすび」と、3段階で構成すると、簡潔でまとまりよく書くことができます。本書では、この方法にのっとった文章例を掲載しています。

第2章

あいさつ・スピーチ

最近の傾向とポイント

いまどきの人の集まりとスピーチの傾向

少人数で短時間の集まりが増えた

新型コロナウイルス感染症の流行によって、一時期、人の集まりの回数は劇的に減りました。しかし、そういった状況も変化し、集まりの回数は増えています。やはり人は集まりたくなるもので、人が集まると当然スピーチの機会も増えます。傾向としては、参加人数は少人数で、会の開催時間は短時間になっています。

リモートの活用が続いている

コロナ禍で利用が広がったリモート（オンライン）会議は、その後も継続している傾向にあります。リモート会議になったことで、会議冒頭のあいさつ・スピーチも変化しました。スピーチする人の顔がしっかりと画面に映るので、聞き手は話に集中しやすくなり、話し手は大勢の人の前で話すという緊張感から解放され、「あがらずに話ができるので助かる」と言う人もいるようです。

人権に配慮したスピーチが求められる

近年、「パワハラ」や「セクハラ」といった言葉を身近に聞くようになりました。また、企業においては人権意識が求められ、普段の会話でも気をつけるべきことが増えています。当然、あいさつ・スピーチでも、気をつけなければなりません。昔なら、結婚披露宴で「赤ちゃんができたら……」「よいお嫁さんになりそうです」などといった文言は一般的でしたが、最近では「アウト」です。スピーチ原稿を作るときには、この点にも同様の配慮が必要です。

いまどきの結婚披露宴でのスピーチ

コロナ前後の結婚披露宴に変化は？

コロナ禍の前と今とで、結婚披露宴に変化はあるのでしょうか。近年、大勢の人を招いての大規模な結婚披露宴よりも、家族や仲のよい友だちなど少人数を招いての小規模な披露宴が多くなっていました。コロナ禍になってからはそういう流れに拍車がかかりました。

現在では、以前のような形に戻るカップルもいる一方で、少人数で行う披露宴への人気がますます高まっています。カップルの趣味を前面に出した、個性豊かな披露宴を催すことも増えています。

少人数の結婚披露宴でのスピーチ

少人数の結婚披露宴でも、スピーチの内容に変わりはありませんが、少人数になったことでの留意点があります。

①格式張らないように

少人数の場合、アットホームな雰囲気が重視されるので、あまり肩肘張ったスピーチは場にそぐわないことが多いです。

②節度をもって

少人数でいくら知った顔ばかりといっても、節度を守りましょう。内輪ウケする暴露話などは、スピーチには不適切です。

少人数ならではの温かい雰囲気を大事に、多少くだけても節度のあるスピーチを心がけましょう。大切なのは、少人数でも大人数でも、二人の結婚を心からお祝いしたいという気持ちのこもったスピーチをすることです。

いまどきの各種祝いの会でのあいさつ

身内のお祝いの席は減少傾向

子どものお祝いや結婚記念日のお祝い、長寿を祝う会などの身内のお祝いの会は、核家族化の影響から減ってきています。

しかし、お祝い事というのは人生を送っていくうえでのけじめであり、きちんと席を設けてお祝いの言葉を伝えたいと、お祝いの席を設ける人もいます。コロナ禍では人が集まることを避けていたため、お祝い事も自粛傾向にありましたが、今は「あのときにできなかったのでやりたい」と、あらためて会を設けるケースもあります。

みんなで集まれる喜びの気持ちを込める

現在、身内で行うお祝いの会は、比較的小さな会場に少人数で集まり、会自体の時間を短縮して行うケースが増えています。

このような会で話すスピーチは、どのような点に気をつければよいでしょうか。

①短めに話す

会の時間が短い場合は、やはりあいさつも短めにして、端的に話します。あまり大声を出さないほうがいいでしょう。その代わりに、はっきりと声が聞き手に届くように話します。

②会を催せる喜びを伝える

しばらく開催できなかった会をあらためて行う際などには、晴れて会を行えることの喜びを伝えます。たとえば、「ようやくこうして集まって祝えることを、みなさんで喜びましょう」などと、参加者と喜びを共有するとよいでしょう。

いまどきのビジネスの場でのあいさつ

重要なコミュニケーションとしての「あいさつ」

ビジネスの場において、「あいさつ」は省くことができないものです。社内では通常の会議をはじめ、朝礼や入社式、歓・送迎会、慰労会などがあり、取引先との会議や記念式典、接待の場など、社外のさまざまな場面でもあいさつが求められます。

同じ職場の同僚、上司や部下、取引先などの関係性をつなぐのが「あいさつ」であり、コミュニケーションの一環としてとても重要です。その「あいさつ」の基本は、「要点をまとめて」「簡潔に話す」ことです。

見直されている「朝礼」

業務の開始前に行われる「朝礼」は、日本の会社において古くから続く慣習です。しかし近年、業務の合理化の波によって形式的な朝礼は不要だとして、朝礼を行わない会社も増えてきました。さらにコロナ禍があって、全員で集まる朝礼を取りやめる動きが加速しました。

ところが、最近、朝礼の意義があらためて見直されています。朝礼は、社員同士の情報共有の場であり、仕事の細分化・リモート化で孤独を抱えるようになった社員をつなげる役割があるとして再注目されているのです。

リモートが普及してきた中で、朝礼で社員が5分か10分でも顔を合わせることは大切な機会です。そこで行われる「あいさつ」は、社内を活性化し、何より「今日も頑張るぞ!」と社員の気持ちを促すような役目を果たすものとして期待されています。

いまどきの学校行事でのあいさつ

子どもの学校の役員を引き受けると……

子どもが保育園・幼稚園に入園後、高校生になるまで、保護者は子どもの学校行事に参加する機会が多くあります。また、保護者は「ＰＴＡ」あるいは「父母の会」など、保護者が主体の組織に属することが多く、この会の「役員」になると、学校行事でのスピーチの出番が回ってきます。主に入学式、運動会、卒業式ですが、大人向けのスピーチと違い、聞き手には子どもたちが含まれることもあるので、その点を考えたスピーチにしなければなりません。

揺れるＰＴＡのあり方

「ＰＴＡ」とは「Parent -Teacher Association（保護者と教師からなる団体）」の頭文字をとったもので、保護者と教師が協力して子どもたちの成長をサポートすることを目的としている組織です。大半の学校にあり、保護者は強制加入であることが多いようです。しかし、今の保護者は共働きが多く、活動は基本的に平日昼間であることから会社を休まざるを得ません。そのため、今の社会状況に合わないのではないかと、その存在自体にクエスチョンがつけられる事態になっています。

しかしながら一方で、ＰＴＡに参加することで子どもの普段の様子を見ることができた、スピーチは大変だったがとてもよい思い出になった、と肯定的な意見もあります。ですので、もし役員となり、スピーチをする機会がめぐってきたら、ぜひ前向きに捉え、子どもたちのためにも心に残るスピーチをしていただきたいと思います。

いまどきの地域活動でのあいさつ

さまざまな地域活動が活発に行われている

地域活動にはさまざまなものがあり、その活動においてスピーチを求められることも多いです。

①町内会活動

町内会は、美化活動や敬老会、運動会、お祭りなど、とくに地方においては地域の結びつきが強いところが多く、活発に活動しているところがあります。

②マンション活動

マンションでは、住人（所有者）は「管理組合」の組合員となります。話し合いによって、住人の中から組合の「理事」を選び、定期的に会議を開いてマンション全体にかかわる問題について話し合います。

③趣味のサークル活動

最近は、会社で働くことと同じくらい、趣味の活動に熱心に取り組む人が増えています。

④ボランティア活動

地震や洪水などの大規模な災害時でなくても、日ごろから身近なボランティア活動に参加する人は増えています。政府は働き方・休み方改革として、会社員のボランティア休暇の取得を推進しているので、これまで時間的な制約からボランティアに参加できなかった人が参加するようになっています。

年齢層に合わせたあいさつを

地域活動に参加している人で、最も多いのは高齢者です。時間的に余裕がある、健康な高齢者が積極的に参加しています。地域活動の集まりにおけるあいさつは、聞き手の年齢層に合わせたテーマや話す速度に気を配る必要があります。

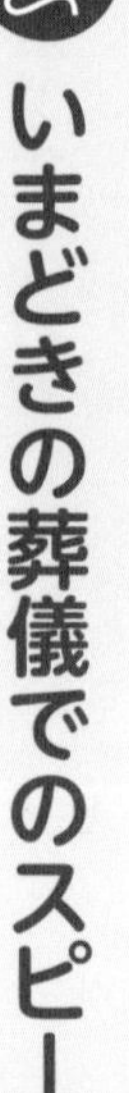

いまどきの葬儀でのスピーチ

葬儀は小規模化の傾向

以前の葬儀は、親族や友人、知人、ご近所の方まで、多くの人を招いて行うのが一般的でした。しかし、近年は社会や経済状況の変化などから、近親者だけで静かに送り出したいという遺族が増えています。さらにコロナ禍では、感染につながるリスクを回避するため、少人数での葬儀が注目されました。とくに希望する遺族が増えたのが「家族葬」です。

家族葬のメリット・デメリット

今人気の「家族葬」ですが、そのメリット・デメリットを考えてみましょう。

①メリット

・金銭的負担が少なくて済む
・多くの人に連絡をする遺族の負担が減る
・宗教や伝統にとらわれず、故人の希望に沿える

②デメリット

・「葬儀に参加したかったのに声をかけてもらえなかった」と思う人が出てきてしまう
・社会的地位の高い人の場合、後で遺族が個々のお悔やみに対応しなければならないケースもある

家族葬でのスピーチ

故人に近しい人だけに集まってもらう「家族葬」は、世間体などを気にする必要もなく、煩わしい連絡や手続き等が少なく済むので、遺族が静かに故人を送ることができます。そのスピーチも、近親者だけが知るエピソードを盛り込むなどすれば、心のこもったスピーチにすることができるでしょう。

第3章

結婚披露宴での あいさつ・スピーチ

001例
主賓のあいさつ

スピーチする人
50代／男性

新郎側の主賓・勤務先上司のあいさつ

はじめ　主題・エピソード　むすび

本日は、この佳き日にお招きいただきましてありがとうございます。**❶ただいまご紹介にあずかりました、新郎・翔平君の上司にあたります営業部の山口と申します。**

❷翔平君とは入社以来8年の付き合いになります。翔平君は、入社当初たいへんおとなしい印象で、営業職が彼に務まるのかと心配しておりました。しかし、私のそんな心配は杞憂に終わりました。どの取引先へも足繁く通い、またどんな要望にもできる限り応えようとする真摯な態度で、徐々に取引先の信頼を得ていったのです。きっとこれからの結婚生活においても、新婦の、またご家族の信頼を裏切らないと確信しております。新婦の真里さんには先日初めてお目にかかりましたが、とても明るく、細やかな気配りができる素敵な女性です。どうぞ翔平君のことをよろしくお願いいたします。

❸お二人の幸せとご両家のご繁栄をお祈りして、お祝いのあいさつとさせていただきます。本日は、まことにおめでとうございます。

ポイント

新郎との関係を簡潔に。新郎の人柄がわかるエピソードを入れ、上司から見た新郎の仕事ぶりを評価し、有能な人物であることを伝える。

注意点

上司ぶった態度や会社のPRはNG。出席者に自分より社会的地位が高い人がいる場合、「僭越ではございますが、一言ごあいさつさせていただきます。」と加えるとよい。

あいさつの構成

①自己紹介
↓
②新郎のエピソード
↓
③はなむけの言葉

002例 主賓のあいさつ

スピーチする人 60代／男性

新婦側の主賓・勤務先社長のあいさつ

はじめ ／ 主題・エピソード ／ むすび

新郎新婦ならびにご両家のみなさま、本日はまことにおめでとうございます。

❶わたくしは、新婦の遥さんの勤務する好天堂出版で代表取締役をしております加藤と申します。 ここで一言、お祝いの言葉を述べさせていただきます。

私の会社は、社員わずか20人ばかりの小さな出版社で、歴史や芸術、文化を対象とした書籍を作っております。**❷その中で、遥さんは編集部に所属し、よい本を作ろうと日々編集業務に励んでくれています。** 遥さんは学生時代より英文学を専攻され、英語をはじめフランス語にも精通し、それがわが社の本作りに大いに生かされています。なにぶん少人数の精鋭部隊で働いているので多忙な日々で申し訳なく思うこともありますが、彼女はつねに前向きで、どんなに忙しいときでもいつも元気で会社の雰囲気を明るくしてくれています。

❸その持ち前の前向きさで新郎の隆さんを支え、困難があっても乗り越えていってください。 お二人の築く家庭は、きっと温かいものになると思います。どうぞ末永くお幸せに。

あいさつの構成

①自己紹介
↓
②新婦のエピソード
↓
③はなむけの言葉

いろいろな結婚式（挙式）

・教会式
キリスト教会で、神の前で結婚を誓い、愛の証として指輪を交換する。結婚式場やホテルなどにあるチャペルでも可能。

・神前式
神社・神殿で、神道の神々に誓いを立てる結婚式。列席は両家の親族が基本。

・人前式
家族や友人などのゲストが証人となる結婚式。

・仏前式
お寺で仏さまとご先祖さまに結婚を報告する。

003例
主賓のあいさつ

スピーチする人
40代／女性

新郎新婦をよく知る恩師のあいさつ

❶義則くん、明美さん、ご結婚おめでとうございます。両家のご家族、ご親族のみなさまにも、心よりお喜び申し上げます。

わたくしは、新郎新婦が中学時代に所属していた吹奏楽部の顧問をしていました関根と申します。当時、部には80名近い部員がおり、明美さんは3年生で部長を務めていました。**❷あるとき、ある出来事があって、意見の相違から部が真っ二つに分裂してしまいました。**明美さんは部長ですから随分悩んでいたのですが、その相談相手となってくれていたのが義則くんでした。ときどき部室に二人で残り、真剣に話し込んでいた様子を覚えています。二人の奮闘のおかげで、部はまた元通りの姿になりました。あのとき顧問である私の至らなさをカバーしてくれて、ほんとうにありがとう。あれから10年余りが経ち、この晴れの日を迎えられ、二人が並んだ姿を目にすることができて感無量です。**❸これからも二人仲よく、力を合わせて人生を切りひらいていってください。**二人のこと、ずっと応援しています。

あいさつの構成

①お祝いの言葉
↓
②新郎新婦のエピソード
↓
③はなむけの言葉

ポイント

二人の学生時代などをよく知る者として、二人の関係性がよくわかるエピソードを織り交ぜながら話す。恩師として、これからも二人を見守っていきたい気持ちを伝えるような温かい言葉を贈る。

注意点

当時の呼んでいた呼び名を使ってもよいが、本人の容姿などに関係するようなあだ名は避けたほうが無難。

004例
乾杯の発声

スピーチする人
50代／男性

新郎の叔父の乾杯スピーチ

はじめ

❶**ただいまご紹介にあずかりました、わたくしは新郎・智人の叔父の和田山寿三と申します。**

主題・エピソード

❷**智人が結婚するという話を兄から聞いたとき、自分の息子が結婚することになったかのように嬉しく、恥ずかしながら兄の前で泣いてしまったくらい嬉しかったです。**なぜなら智人は小さいころ、ある病気で入院生活を送っており、そのころの兄夫婦の大変さを間近で見ていたからです。あの智人が、こんなに健康に、立派な大人になり、今日はこんなに素敵な瀬名さんと結婚できたなんて、ほんとうに夢のようです。そして、このおめでたい席で乾杯の音頭をとらせてもらえて感無量です。

では、みなさま、グラスをお持ちでしょうか。

むすび

❸**智人と瀬名さん、二人の幸多き新生活をお祈りして、**

「乾杯！」

ありがとうございました。

あいさつの構成

①自己紹介
↓
②新郎との関係
↓
③乾杯の発声

乾杯の手順

①発声者は飲み物を持って、マイクのところに移動。
②司会者が「恐れ入りますがみなさまご起立願います」などと促したら、列席者は起立（披露宴のスタイルによって異なる）。
③発声者があいさつをする。
④発声者が「乾杯！」の発声。唱和を促されたら、グラスを上げ、乾杯の発声に合わせて声を出す。
⑤グラスに口をつけて少し飲んで、「おめでとう！」と言って拍手を贈る。発声者は元の席へ移動。

005例
乾杯の発声

スピーチする人
40代／女性

新婦の先輩の乾杯スピーチ

はじめ　主題・エピソード　むすび

❶わたくしは、新婦の麗子さんと同じ職場、総務課の三木と申します。新婦の麗子さんとは、彼女が入社以来8年の付き合いになります。**❷麗子さんは何事にも一生懸命で、仕事はもちろんですが、習い事である三味線の腕前も一級品です。**その習い事先で、新郎の勇気さんと出会ったとのこと。やはり何事も前向きに取り組むとよいことがありますね。

本日は、乾杯の発声という大役をおおせつかり、恐縮しています。諸先輩方を差し置いて、まことに僭越ではございますが、ご指名ということなので務めさせていただきます。

では、みなさま、グラスをご用意ください。

❸お二人の輝ける未来と、ご両家のみなさま、ご列席のみなさまのご発展を祈念いたしまして、

「乾杯！」

本日は、まことにおめでとうございます。

あいさつの構成

①自己紹介
↓
②新婦のエピソード
↓
③乾杯の発声

ポイント

乾杯のあいさつのときは全員立っていることが多いので、手短に話す。「乾杯」の発声はとくに明るく、元気な声で高らかに。

注意点

乾杯の発声は、主賓の次に重要な役割。とくに会社関係者が多いときなどは、乾杯の前には「僭越（せんえつ）ですが」と断る。

006例
職場の上司・先輩・同僚のあいさつ

スピーチする人
40代／男性

新郎の上司の祝辞

はじめ　主題・エピソード　むすび

❶ただいまご紹介にあずかりました、新郎の勤務先上司にあたります、神尾と申します。上田くん、紗絵さん、このたびはご結婚おめでとうございます。上田くんとは入社以来、９年の付き合いになります。**❷彼は学生時代にラグビーをやっていて、ご覧のとおりがっしりとした頼りがいがある男です。**上司のわたくしに対しては、常に「はい！　承知しました！」と大きな声で返事をしてくれ、それがとても気持ちがよく、仕事も楽しく感じるほどです。また、彼はとても後輩の面倒見がよいことでも知られています。後輩が落ち込んでいると、なぐさめの言葉をかけてあげることはもちろん、さりげなく仕事を手伝ってあげているのを見たことは数え切れません。おそらくラグビーでつちかったよい意味での上下関係を、仕事の場でも活かしているのです。

紗絵さん、もうご存じだとは思いますが、このように頼りがいのある男はめったにおりません。どうぞこれからも上田くんのことをよろしくお願いします。

❸そして、お二人で力を合わせて幸せな家庭を築いてください。

ポイント

新郎の上司として、部下である新郎の職場での「人となり」がよくわかるエピソードを中心に話を進める。

新郎が学生時代に熱中したラグビーから得たものを仕事にうまく活かしているというエピソードなどを紹介する。

あいさつの構成

①自己紹介
↓
②新郎のエピソード
↓
③はなむけの言葉

007例
職場の上司・先輩・同僚のあいさつ

スピーチする人
50代／女性

新婦の上司の祝辞

むすび　主題・エピソード　はじめ

ただいまご紹介にあずかりました並木です。**❶本日は、お二人の門出を祝う晴れやかな席にお招きいただき、たいへん嬉しく思っております。**

❷日ごろ、新婦である芳佳さんの仕事ぶりを見ていて感じるのは、相手の話を我慢強く聞くことができる人だということです。芳佳さんは自分の考えを一方的に相手に押し付けることは決していたしません。まずは相手の言い分を誠実に聞き、そのうえで自分の考えを丁寧に説明します。聞くことができるだけでなく、自分の考えを相手に伝える技術も持っているのです。結婚生活においても、芳佳さんのこの長所は存分に活かされると確信しております。「結婚生活は長い会話である」というニーチェの名言がありますが、まさに結婚生活において大切なのは、「二人でよく話をする」ということだと思います。夫婦間の会話こそが結婚生活を長く続けていく秘訣ではないでしょうか。

❸結婚生活においては、山あり谷あり、よいときも悪いときもあるでしょう。そういうときこそ、二人でとことん会話をして乗り越えていってください。

あいさつの構成

①招待へのお礼
↓
②新婦のエピソード
↓
③先輩からのアドバイス

よく使われる格言

・「結婚前には両眼を大きく開いて見よ。結婚してからは片目を閉じよ」（トーマス・フラー／英・神学者）
・「真珠は光る　星は光る　それよりも強く愛は光る」（ハイネ／独・詩人）
・「愛する、それは互いに見つめ合うことではなく、一緒に同じ方向を見つめることである」（サン・テグジュペリ／仏・小説家）
・「結婚生活で一番大切なものは忍耐である。」（アントン・チェーホフ／露・劇作家）

008例
職場の上司・先輩・同僚のあいさつ

スピーチする人
30代／男性

新郎の先輩の祝辞

はじめ　主題・エピソード　むすび

ただいまご紹介いただきました青沼です。**❶わたしは一郎くんより3年早い入社で、彼とは10年一緒に働いていて、もう兄弟同然の関係です。**

❷あるとき、一郎くんと二人で社外プレゼンをする機会がありました。当然、準備は周到に行っていたはずなのに、プレゼン当日になって、抜けている資料があることに気が付いたのです。彼に先に会場に行って準備をしてもらい、わたしが会社で資料を作成し直し、なんとか間に合って事なきを得た……と思ったら、今度は発表者のわたしの具合が悪くなって立っていられなくなりました。そこで彼が一言「僕に任せてください」と、私に代わって立派に役目を果たしてくれました。一郎くん、あの時はほんとうにどうなることかと思いましたよね。それでも二人で乗り越えられて、わたしたちの自信になりました。

❸悦子さんはきっと一郎くんの日ごろの働きぶりを知っていて、結婚を決められたんですよね。将来振り返ったとき、それは正しい選択だったと思う日が必ず来ますので安心してください。

ポイント
新郎の先輩として先輩然としたスピーチもよいが、ともに大変な仕事を乗り越えたときのエピソードなどもよい。

注意点
新郎側のスピーチでも、新婦も同じ会社、あるいは知り合いの場合は、新婦へも語りかけるように話す。

あいさつの構成
①新郎との関係
↓
②新郎のエピソード
↓
③はなむけの言葉

スピーチする人
30代／女性

新婦の先輩の祝辞

はじめ　主題・エピソード　むすび

竹山さん、栄花さん、本日はまことにおめでとうございます。❶**このような華やかな席にお招きいただきましてありがとうございます。**わたくしは新婦の栄花さんと同じ経理部で働いておりますり川添と申します。

栄花さんとは年が近いので、公私共に仲よくさせていただいています。私事で恐縮ですが、わたくしも半年前に結婚したばかりなのですが、❷**あるときから彼女が結婚生活について頻繁に尋ねてくるようになりました。**「炊事当番はどうやって決めたのか」「急な残業で遅くなるときはどうしているのか」など事細かに尋ねてくるので、さすがに鈍いわたくしでも「もしや…？」と思っていたら…「やはり！」でした。栄花さんはとても真面目な性格で、ときに頑張りすぎるところがあります。竹山さんにはどうかそのあたりもお気遣いいただければと、この席をお借りしてお願いします。

❸**栄花さん、ときには竹山さんに頼りながら、仕事も家庭も末永く続けていってください。どうぞ、お幸せに。**

あいさつの構成

①招待へのお礼
↓
②新婦のエピソード
↓
③はなむけの言葉

ポイント

新婦と年齢が近い先輩で、日ごろから二人が親しくしている場合、比較的プライベートなエピソードを入れてもよい。

新婦が結婚後も仕事を続けるようなら、「家庭も仕事も頑張って」とエールを贈る。

注意点

自分のことを話すときは、「私事で恐縮ですが」と話を切り出す。

010例
職場の上司・先輩・同僚のあいさつ

スピーチする人
30代／男性

新郎の親しい同僚の祝辞

はじめ　主題・エピソード　むすび

賢人くん、聖美さん、ご結婚おめでとうございます。**❶わたしはお二人と同期入社の織田と申します。現在、賢人くんとは同じ田町支社勤務です。**

❷わたしは入社当日のオリエンテーションのことを、今でも忘れません。数人でグループを作ってあるお題を解いていくゲームだったのですが、実は、そのとき二人はあろうことか、けんかを始めてしまったのです。同期ということで打ち解けたのか、ゲームに熱中したのか、二人の意見が対立してどちらも譲ろうとはしませんでした。小心者のわたしは「人事評価に響くのでは？」とヒヤヒヤしていました。結局、時間切れとなり、わたしたちのチームは最下位でした。それなのに、それなのにです！　彼らが付き合い始めたと聞いたのはそれからすぐのことでした。後で聞いたら、お互いあの時、「自分の意見を持っている人だ」と感心したとか、しないとか……。

❸賢人くん、聖美さん、どちらも意地っ張りで、仲間うちでは愛すべき頑固者の二人ですが、どうかこれからは譲り合いの精神で末永くお幸せに！

ポイント

新郎の親しい同僚として祝辞を頼まれたとき、新婦のことも知っていれば、二人に共通するエピソードを取り上げて話を盛り上げる。「同期」という立場なので、多少くだけた、冗談まじりの口調でもかまわない。

注意点

二人の馴れ初めなど、プライベートに関わるエピソードの場合は、事前に新郎新婦に許可をとっておくとよい。

あいさつの構成

①自己紹介
↓
②新郎のエピソード
↓
③はなむけの言葉

スピーチする人
30代／女性

新婦の親しい同僚の祝辞

はじめ　主題・エピソード　むすび

ただいまご紹介いただきました寺内と申します。**❶雪子とわたしが入社してから、かれこれ10年も経つなんて、そして、今日のような晴れやかな日を迎えられるなんて、想像もしていませんでした。**

❷雪子とは、入社当初から馬が合うというか、とにかくいつも一緒にいましたね。「二人は付き合ってるの?」とよくからかわれたものです。二人で旅行にも数え切れないくらい行きました。そのたびに「女同士じゃ淋しいね」が口癖だったわたしたち。口ではそう言いながら、実際は女同士の気安さで、どの旅行も楽しい思い出がいっぱいです。雪子から結婚の話が出て、仕事先で知り合ったという聡一さんを紹介されたとき、一瞬、聡一さんに嫉妬にも似た気持ちが湧いたのには驚きました。それだけ雪子は大事な親友なのです。

でも、三人であちこち出かけるようになると、雪子が聡一さんにひかれた気持ちがよくわかるようになりました。**❸聡一さん、雪子を必ず幸せにしてください。雪子のことを、末永くよろしくお願いします。**

あいさつの構成
①新婦との関係
↓
②新婦のエピソード
↓
③新郎へのお願い

ポイント
新婦と親友であるくらいの関係性なら、名前呼びをしてもOK。
職場でもプライベートでも仲がよかったエピソードを話し、新婦が自分にとってどれだけ大事な人であるかを伝え、新郎へのお願いでまとめる。

012例
職場の上司・先輩・同僚のあいさつ

スピーチする人
20代／男性

新郎新婦の職場の後輩の祝辞

はじめ　主題・エピソード　むすび

大和先輩、しずく先輩、本日はおめでとうございます。**❶わたしはお二人の後輩で、とくに大和先輩には仕事でもプライベートでもたいへん迷惑して……、いえ、お世話になっている高橋と申します。**

❷大和先輩は、一人で家に帰るのが嫌で、僕をしょっちゅう飲みに誘ってくれる寂しがり屋の先輩です。しずく先輩は、業者さんの前ではとてもやさしく、業者さんがお帰りになった後に、ぼくを裏に呼び出す怖い先輩です。実は、お二人が結婚することになってから、困っていることがあります。何があったかは存じませんが、会社でお二人の仲がピリピリしているなあと感じると、決まってお二人から別々に「今晩飲みに行こうぜ」「ランチでもごちそうしようか」などとお誘いが来るのです。これにはほんとうに困っています。

この場を借りてみなさんに宣言しておきます。僕はどちらの味方もいたしません！　**❸そして、お二人にお願いです。かわいい後輩の僕を困らせないでください。お二人の揉め事はお二人で解決するようお願いいたします。**

あいさつの構成
①自己紹介
↓
②新郎新婦のエピソード
↓
③新郎新婦へのお願い

ポイント
かたいスピーチは社長や上司にまかせて、二人のことをよく知る後輩という立場なら許される、笑いを誘うような内容にしてもよい。

注意点
素顔のエピソードを紹介する場合、本人たちの反応が気になるなら、どういう内容にするか先輩に伝えておくほうがよい。

スピーチする人
40代／男性

新郎の親しい仕事関係者の祝辞

はじめ　主題・エピソード　むすび

❶ただいまご紹介にあずかりました渡辺と申します。わたくしはくぬぎ林内装に勤務しており、家永さんとはもう10年のお付き合いになります。このような晴れの席でお祝いを述べさせていただけること、とても光栄に思います。

❷ブナ山住宅さんで営業をなさっている家永さんは、つねに成績がトップでいらっしゃるのですが、それは外部の人間であるわたくしでさえ納得できます。と申しますのも、家永さんはとにかく「仕事熱心」です。クライアント様のご要望があれば、それを満たすべく、ご提案をいくつも準備なさるので、クライアント様の信頼を得るのは当然です。一度、なぜそのように熱心なのか伺ったことがあるのですが、御本人曰く、「仕事が趣味」だとのこと。住宅のことなら何でも研究するのが楽しくて仕方がないのだそうです。

❸本日ご列席のみなさま、今後家を建てるお考えの方はぜひ家永さんにご相談ください。必ずご希望の、いえそれ以上の素敵な家を手に入れることができるとわたくしが保証いたします。この度は、たいへんおめでとうございます。

ポイント

外部の人間でありながら、あいさつをさせてもらえることに対してのお礼を述べる。

仕事の関係者として呼ばれた場合は、プライベートな付き合いよりビジネス上の付き合いについて話すとよい。

あいさつの構成

①自己紹介
↓
②新郎のエピソード
↓
③結びの言葉

014例
仕事関係者のあいさつ

スピーチする人
40代／女性

新婦の親しい仕事関係者の祝辞

はじめ　主題・エピソード　むすび

坂戸さん、あおいさん、ご結婚おめでとうございます。**❶わたくしは角野山出版の野原と申しまして、あおいさんがお勤めの立花デザイン事務所様にはファッション雑誌のデザインをお願いしております。**

❷あおいさんの人柄を一言で表すなら、「姉御肌」でしょうか。わたくしは彼女の二周りも年が上なのですが、恥ずかしながら、しょっちゅう彼女に怒られています。冗談で、いえ、おそらく半分は本気で「野原さん、しっかりしてくださいね～」とたしなめられているのを、うちの編集部の人間たちは目撃しているはずです。ただ、これが、不思議と嫌ではないのです。なぜなら、彼女は人を包み込むような、彼女に任せていればすべてうまくいくような、そんな感じを相手に抱かせる、まさにみんなの「お姉さん」のような存在なのです。

❸あおいさんの結婚話を伺ったとき、「坂戸さんはすごくいい女性を捕まえたな」と、うらやましく思ったくらいです。これからの結婚生活、あおいさんに任せていれば間違いないと思います。どうぞ、お幸せに。

ポイント

新婦と一緒に仕事をするときに感じた、新婦の性格についてのエピソードを紹介。新婦と親しい場合は、多少面白おかしいエピソードを入れてオチのあるような終わり方にしてもＯＫ。

あいさつの構成

①自己紹介
↓
②新婦のエピソード
↓
③はなむけの言葉

スピーチする人
30代／男性

新郎の大学時代の先輩のスピーチ

むすび　主題・エピソード　はじめ

茶迫くん、美野里さん、ご結婚おめでとうございます。**❶わたしは学生時代、茶迫くんの1年上で、同じ金子ゼミに所属していた跡部と申します。**

❷茶迫くんと言えば、やっぱり「茶迫事件」ですね。彼は当時、風呂なし、4畳半という古ぼけたアパートの2階の住人でした。彼は本の虫で、大量の本に埋もれて暮らしており、いつか本の重みで床が抜けるぞと仲間内で笑っていました。ところが、ある日、それが現実となったのです。下の部屋に住んでいたおじいさんが、「天井がミシミシ言っているぞ！」と怒鳴り込んできたらしく、彼は大慌てでわたしに電話してきました。「あ、跡部さん！　やばい、やばいです！　うちの床が抜けそうです！」……彼の真剣な声に、ゼミ員何人かで助けに行きました。彼はこの期に及んでも本は捨てないと言い張り、仕方なく車で駆けつけたわたしが預かることになった、という、これが「茶迫事件」です。

❸美野里さん、こんなどうしようもない茶迫くんですが、どうぞ愛想をつかさず、末永くよろしくお願い申し上げます。

ポイント

徐々に話を盛り上げる場合、少しスピードを速め、「どうなるんだろう？」とこれからの話に期待をもたせるような演出を。

セリフの入った文章は、恥ずかしさを捨てて臨場感たっぷりに話すとウケやすい。棒読みしてしまうと、面白さが伝わらない。

注意点

「内輪ウケ」にならないよう、知らない人にも背景がきちんと伝わるように話すのがマナー。

あいさつの構成

①自己紹介
↓
②新郎のエピソード
↓
③はなむけの言葉

016例
学生時代の友だち・恩師のスピーチ

スピーチする人
20代／女性

新婦の大学時代の先輩のスピーチ

はじめ　主題・エピソード　むすび

剛さん、杏ちゃん、本日はおめでとうございます。**❶わたしは杏ちゃんと同じ大学の1年先輩で、同じ旅行サークルに所属していた幸田と申します。**

❷杏ちゃんは、学生時代、半年ほど熱心にバイトをしてひと月ほど海外に一人で出かけていましたね。北はカナダから、南はオーストラリアまで。わたしたちはよく一緒にいましたが、彼女は一人で旅に出るので、わたしはもっぱら土産話の聞き役でした。今、ここで旅のエピソードの数々を披露すると、ご両親が倒れられるかもしれませんのでやめておきます。が、このように彼女は行動力が素晴らしい女性です。そんな杏ちゃんが結婚すると聞いたとき、内心、心配しました。普通、彼女が一人旅に出ることにいい顔をする男性はいないのではないかと思ったからです。でも、実は剛さんも一人旅が好きでアフリカまで旅したことがあると聞いて、同志を得たのだと安心しました。

❸一人旅が好きな杏ちゃんが、結婚生活という旅を剛さんと共にすることになったことが、わたしはとても嬉しいです。

あいさつの構成
①自己紹介
↓
②新婦のエピソード
↓
③はなむけの言葉

スピーチ依頼から原稿執筆まで

【3カ月くらい前：新郎新婦からスピーチの依頼】
・結婚式の日取りを確認
・基本的に受諾するのが礼儀

【2カ月くらい前：スピーチの材料を探す】
・自分で考えるだけでなく、職場の同僚や共通の友人にもリサーチしてみる

【1カ月くらい前：原稿を書く】
・エピソードが決まったら原稿を書く
・何度も声に出して練習
・人前で話してみる

017例
学生時代の友だち・恩師のスピーチ

スピーチする人
30代／男性

新郎の高校時代の友だちのスピーチ

はじめ　主題・エピソード　むすび

順、真奈さん、ご結婚おめでとうございます。**❶ただいまご紹介いただきました野田です。順とは高校1年で知り合ってからの大親友です。**

❷今回、スピーチをする機会をいただいて、順との思い出を振り返ってみたのですが、あまりにもありすぎて何を話せばいいのか、ほんとうに迷いました。なぜなら、順とはクラスが3年間同じで、部活も同じ野球部で、家も近所なので、高校時代は部活の朝練のために朝6時に家を出るところから、夜9時に帰宅するまで、ずっと一緒だったからです。甲子園をめざして頑張っていた野球のこととか、学祭の出し物のために3日間、順の家に男5人で泊まり込んだことか、修学旅行で門限に遅れて旅館の廊下に2時間も座らされたとか、ありとあらゆることが僕たちの楽しかった大切な思い出です。

❸でもこれからは、真奈さんと一緒にこういった楽しい思い出を作っていくんですよね……だから、僕は今日、順を卒業します！　真奈さん、順のことよろしくお願いします！　真奈さんと必ず幸せな家庭を作ってくれよ、順！

ポイント

スピーチではエピソードを一つに絞ったほうがよいといわれるが、ずっと一緒に過ごしていて、すべてが大切な思い出だと素直に話しても印象はよい。

大事な親友に、これからは新婦とともに幸せになってほしいという気持ちを込めて、宣言するようにはっらっと結ぶ。

あいさつの構成

①自己紹介
↓
②新郎のエピソード
↓
③はなむけの言葉

スピーチする人
20代／女性

新郎新婦の高校時代の友だちのスピーチ

はじめ

円さん、彩芽ちゃん、本日はおめでとうございます。**❶わたくしは彩芽ちゃんの高校時代のクラスメートで、1年先輩の円さんが所属していたサッカー部のマネージャーもしておりました北山と申します。**

主題・エピソード

❷円さんは、われらが西高サッカー部のエースで、全校女子の憧れの人でした。そして、彼が一途に恋していた女子は、この彩芽ちゃんでした。軟派に見えて硬派な円さんから、彩芽ちゃんの誕生日に告白をしたいと相談され、その告白現場まで付いていき、彩芽ちゃんがコクンとうなずくのをこの目でしっかりと見届けました。そう！　何を隠そう、わたくし北山がこの二人の愛のキューピッドだったのです。それ以降、二人が付き合っていることを隠すための裏工作をしたり、わざと3人で遊んだりするなど、わたくしの涙ぐましい努力のおかげで、二人が着実に愛を育むことができたのは言うまでもありません。

むすび

❸彼らがいかに真剣に付き合ってきたか、間近で見てきたわたくしはこう断言できます。この二人は絶対に幸せになります！　みなさまご安心ください。

あいさつの構成

①自己紹介
↓
②新郎新婦のエピソード
↓
③はなむけの言葉

ポイント

二人をつないだ人間として、自分だけが知っている馴れ初めをエピソードとして紹介。案外二人の馴れ初めは周囲に知られていないことが多く、盛り上がる話題の一つ。

いわゆる暴露話は避けたほうがよいが、ほのぼのとした内容の場合は、聞き手を嫌な気持ちにさせない。

019例
学生時代の友だち・恩師のスピーチ

スピーチする人
60代／女性

新郎新婦の小学校の恩師のスピーチ

はじめ

新郎新婦、ならびにご両家のみなさまには心よりお喜び申し上げます。**❶わたくしは、雅史さんとのぞみさんが小学校4年生から3年間担任をしておりました安藤と申します。**各学年ひとクラスしかない小さな小学校で、和気あいあいと楽しかった日々を思い出します。

主題・エピソード

❷なかでも雅史さんはいつも元気な男の子、のぞみさんも明るく活発なお嬢さんでした。6年生のとき、飼育小屋からうさぎが逃げ出したことがありました。お昼休みにわかって、クラス中が大騒ぎに。のぞみさんは飼育係だったので、自分が鍵を掛け忘れたのではないかと泣いています。すると雅史さんがみんなの先頭に立って、捜索に乗り出しました。もう5時間目が始まっていたのに、うちのクラスだけはうさぎを探し続けましたね。幸いうさぎは見つかりまして、あのときの嬉しそうな、安堵したような二人の顔は忘れられません。

むすび

❸今日は二人の幸せいっぱいのお顔を拝見できて、心から嬉しく思います。できることなら、これからも時々は顔を見せてくださいね。

ポイント

小学校の担任として、当然両親も知っているので、「ご両家のみなさま」と、冒頭に一言あいさつを入れる。

担任だったのでたくさんの思い出があるはずだが、ささやかでも印象に残っているエピソードを披露する。今でもありありとその時の二人の様子が思い出されるというように、感慨深げに話す。

あいさつの構成

①自己紹介
↓
②新郎新婦のエピソード
↓
③新郎新婦へのお願い

020例
地域の仲間のスピーチ

スピーチする人
20代／男性

新郎新婦の幼なじみのスピーチ

はじめ

貫ちゃん、マッチ、ご結婚おめでとうございます。**❶わたしたち3人は保育園のときからの幼なじみで、今年で25年の付き合いになります。わたしは今、南町で中華料理店をやっている山路と申します。**

主題・エピソード

保育園のとき、うちの母親によると僕はマッチのことが好きでいつもマッチの後ろを付いて歩いていたそうです。**❷二人とは家が近所なのでたまに顔を合わせるのですが、僕らの親同士はつながりが強いんですよ。**その強力なネットワークを通じて、二人が付き合ってる、いよいよ結婚だとか、二人の口より先に最新情報が入ってくるんです。今だから言いますが、2年前に二人の間に危機が訪れていたことも僕はそのネットワークを通じて知らされていました。だから、今日この日を迎えられて、僕はとても嬉しいし、同時に安堵しています。貫ちゃん、マッチのおばさん、おじさんもほんとうによかったね！

むすび

❸貫ちゃん、マッチ、僕らの親同士のネットワークの存続のためにも、末永く幸せな家庭を築いてください。

あいさつの構成

①自己紹介
↓
②新郎新婦のエピソード
↓
③はなむけの言葉

ポイント

幼なじみなので、慣れ親しんだ昔からの呼び名で語りかけたほうが、スピーチに温かみが出る。

親同士もつながりが深いことが多いので、二人の幸せはもちろんのこと、親たちの幸せも願っている気持ちを表して結びの言葉にする。

021例
地域の仲間のスピーチ

スピーチする人
40代／男性

新郎のサークル仲間のスピーチ

はじめ　主題・エピソード　むすび

❶ご紹介いただきました、航三くんの所属するフットサルチームで代表をしている設楽と申します。 航三、みなみさん、ご結婚おめでとうございます。

❷航三は中・高・大学とサッカー一筋、高校時代は全国大会で準優勝というすばらしい経歴の持ち主です。 今は、うちのチームの大黒柱で、プレー中にわたしがまずいプレーをしたときには、後でいつも怒られています。ちなみにわたしは彼より20歳も年上です。航三くんがチームに入って1年ほど経ったころから、みなみさんが練習に一緒に来るようになりました。みなみさんは、「静かに練習を見ている大人しい人」という印象だったのですが、試合になると、その応援がすごいんです。まるで人が変わったように、気合いが入った応援をしてくれます。それには最初驚きましたが、みなみさんが来てくれるとうちのチームの勝率が上がるので、彼女は「勝利の女神」と言われています。

❸二人はほんとうにお似合いで、きっと素敵な家庭を築かれることでしょう。みなみさん、これからも航三とチームの応援に必ず来てくださいね。

事前に確認しておくこと

①結婚式の式場・形式
ホテルや専門式場などフォーマルな場所なのか、レストランなどのカジュアルな場所なのか。

②招待客の人数と顔ぶれ
100人規模の場合はビジネス関係の人が多く、50名規模の場合は親族や仲間内であることが多い。多少堅苦しくても節度のあるスピーチが合うのか、アットホームな雰囲気のスピーチが合うのか、事前に確認しておくこと。

あいさつの構成

①自己紹介
↓
②新郎のエピソード
↓
③新婦へのお願い

022例
地域の仲間のスピーチ

スピーチする人
30代／女性

新婦のボランティア仲間のスピーチ

はじめ　主題・エピソード　むすび

❶わたしは鯉畑町にある子ども食堂で、責任者をしている須藤と申します。

❷美空さんは、主に調理担当ですが、幼稚園の先生という職業柄、子どもたちの対応がとても上手なので、食後の子どもたちの遊び相手もしてくれています。時々うちに来る、恵美ちゃんという小2の女の子がいます。最初、お母さんと一緒に来た恵美ちゃんはとても引っ込み思案で、お母さんの陰に隠れていました。そのうち一人でも来るようになったのですが、わたしやほかのスタッフが声をかけてもあまり表情を崩しません。ですが、美空さんがそっと話しかけるようになってから、日を追うごとに笑顔を見せてくれるようになりました。恵美ちゃんの子どもらしい笑顔はほんとうに可愛らしく、その笑顔を引き出してくれたのは紛れもなく美空さんのやさしさです。

❸新郎の真司さんもわたしたちの活動に賛同してくださっていて、これからもお手伝いしていただけるとのこと、たいへん心強く思っています。真司さん、美空さん、どうぞお幸せに。本日は、おめでとうございます。

あいさつの構成
①自己紹介
↓
②新婦のエピソード
↓
③はなむけの言葉

ポイント
ボランティアをしたいと思っても、実際にはできない人が多い中で、新婦が頑張っているエピソードを披露する。
結婚後もボランティア活動へ協力してもらえるようお願いし、二人の幸せを祈る言葉で締めくくる。

023例
親族からのお礼のあいさつ

スピーチする人
60代／男性

新郎の父親からのお礼のあいさつ

はじめ

新郎・拓久哉の父親の綿貫琢三でございます。**❶僭越ではございますが、両家を代表して、わたくしから一言ごあいさつさせていただきます。本日はご多用のところ、二人の結婚披露宴にご列席いただきまして、まことにありがとうございました。**多くの方々から温かい祝福の言葉をいただき、とても嬉しく存じます。

主題・エピソード

❷息子の拓久哉は、親のわたくしから見ると、どうも危なっかしいところがございまして、いくつになっても心配が尽きません。しかし、こうして結愛さんという堅実で明るい、素晴らしいお嬢さんに巡り会うことができ、妻ともども安堵の気持ちでいっぱいです。

むすび

未熟な二人ではございますが、みなさまには、今後変わらぬご指導をお願い申し上げます。**❸ご列席くださいましたみなさま方のご健勝とご多幸をお祈り申し上げ、わたくしからのお礼のあいさつとさせていただきます。本日は、まことにありがとうございました。**

あいさつの構成
①列席者へのお礼
↓
②新郎のエピソード
↓
③結びの言葉

ポイント
親族側からのあいさつが自分だけの場合、「両家を代表して」と、必ず入れる。

注意点
最後に、列席者に今後も二人のことをお願いする旨の一言を添えて結びの言葉とする。「最後になりますが」は忌み言葉としてとらえる人もいるので避けたほうが無難。

024例
親族からのお礼のあいさつ

スピーチする人
50代／女性

新婦の母親からのお礼のあいさつ

本日はご多用にもかかわらず、このようにたくさんの方々にお集まりいただきましてまことにありがとうございます。新婦・美咲の母でございます。**❶本日は、ご媒酌人の新藤さまご夫妻をはじめ、多くのみなさまに二人の披露宴を見守っていただき、感謝の念に絶えません。**

娘の美咲から結婚の話を聞いたとき、またそのお相手が津森さんという素敵な男性であったとき、わたくしの喜びはひとしおでした。さらにご両親にお会いしたときは、お二人のお人柄に、娘を手放すわたくしの心配は一掃されました。本日、みなさまから温かい祝福のお言葉をいただきながら、二人がこれまで歩んできた道のりはとても恵まれたものだったのだと感慨深く、**❷二人にはいただいたお言葉を胸に刻んで、力を合わせて新しい生活を送っていってほしいと願っています。**

❸どうぞこれからも、未熟な二人への変わらぬご支援をよろしくお願い申し上げます。本日は、ありがとうございました。

あいさつの構成

①列席者へのお礼
↓
②新郎新婦への願い
↓
③列席者へのお願い

ポイント

媒酌人などが参列する格式のある結婚披露宴の場合は、最初にお礼を述べるのがマナー。

両家の代表ではなく、新婦の親族としてあいさつする場合、この場を借りて新郎と相手の両親へ気持ちを伝えることもできる。

025例
親族からのお礼のあいさつ

スピーチする人
60代／男性

両家を代表してお礼のあいさつ

はじめ

❶新郎の父親の田島満隆でございます。僭越ではございますが、両家を代表しましてごあいさつさせていただきます。本日はご多用のところ、朗喜と桜子さん、二人の結婚披露宴にご列席いただきまして心よりお礼を申し上げます。

主題・エピソード

❷朗喜は、幼いころは体が弱い子どもでした。夜中に熱を出して救急外来に飛び込んだり、ときには入院を強いられたりすることもございました。しかし、小学校、中学校と剣道を続けたおかげか、いつの間にか風邪一つ引かなくなりました。桜子さんとも、剣道の部活動を通じて知り合うことができて、ほんとうに幸せな男です。そして今日、並んだ二人の幸せそうな姿を見ることができたわたしも幸せな父親です。

二人は社会人としての経験も浅いため、みなさまのお力をお借りすることも多いかと存じます。

むすび

❸親として二人のことは見守ってまいりますが、みなさま方におかれましても、どうか二人への変わらぬご指導ご鞭撻のほどよろしくお願い申し上げます。本日は、ありがとうございました。

あいさつの構成
①自己紹介
↓
②新郎新婦のエピソード
↓
③列席者へのお願い

ポイント
結婚披露宴に列席していただいた方へ、両家を代表してお礼を述べる。
多くの場合、新郎側の父親があいさつをするが、誰がスピーチしてもよい。

注意点
長々と話をせずに、短めにまとめるのが無難。

026例
親族からのお礼のあいさつ

スピーチする人
30代／女性

新郎の姉からのお礼のあいさつ

はじめ

みなさま、本日はご多用にもかかわらずご列席いただきましてありがとうございます。**❶わたしは新郎の姉のすみれと申します。本日は、わたしどもの両親に代わり、ごあいさつさせていただきます。**

主題・エピソード

❷わたしより1つ下の哲郎は昔からしっかり者で、どちらかというと、わたしが妹、哲郎が兄と言ってもよいくらいでした。そういうきょうだいの関係は現在も変わらず、何かあるとわたしは哲郎に相談をし、哲郎は必ず真剣に話を聞いて解決策を見つけてくれます。姉としての面目はありませんが、哲郎は誰に対しても自慢できる弟です。心美さん、これからは安心して哲郎を頼りにしてください。もちろん、心美さんも芯の通った素敵な女性です。わたしは、これからは弟ばなれしてお二人に心配をかけないよう、頼りない姉から脱皮するつもりでいます。どうぞ二人仲よく、末永くお幸せに。

むすび

❸結びになりますが、ご列席のみなさまにおかれましては、今後も二人のことを温かい目で見守っていただけますよう、よろしくお願い申し上げます。

あいさつの構成

①自己紹介
↓
②きょうだいのエピソード
↓
③列席者へのお願い

ポイント

両親が何かしらの事情で式に列席できない場合、姉や兄が代わりにスピーチをすることもある。事情は詳しく説明する必要はないが、一言その旨を添えるとよい。

027例
親族からのお礼のあいさつ

スピーチする人
30代／男性

新婦の兄からのお礼のあいさつ

はじめ ／ 主題・エピソード ／ むすび

ただいまご紹介にあずかりました、わたくしは新婦の兄の幸覧と申します。**❶本日は高橋、伊藤、両家の結婚披露宴にご列席いただきまして、まことにありがとうございます。**

❷妹の典子から結婚の相談をされたとき、実は最初から賛成だったわけではありませんでした。というのは、典子はまだ大学3年生でしたし、親代わりとして生きてきたわたくしとしては、素直に妹の結婚を喜べませんでした。それで太一くんに結婚を思いとどまってもらおうと考え、典子には内緒で彼に会いに行きました。しかし、彼は結婚について真剣に考えており、「典子さんのことは必ず幸せにします」と力強く言ってくれ、わたくしはその言葉を信じることにしました。

❸二人には、これから先、幸せな結婚生活が待っていると思います。でもどうしても困ったときは、いつでも相談に乗ります。ご列席のみなさまにおかれましても、二人へのご指導ご鞭撻のほどよろしくお願い申し上げます。

ポイント
両親が他界するなどしている場合、親代わりとして兄や姉がスピーチすることもある。妹をどれだけ大事に思っているか、この場を借りて伝えてもよい。

注意点
最初は二人の結婚に反対していたが、最終的に賛成したというエピソードを紹介する場合、反対の理由は新郎側ではなくこちら側にあるようにするのがエチケット。

あいさつの構成
①列席者へのお礼
↓
②結婚話についてのエピソード
↓
③結びの言葉

028例
本人たちからのお礼のあいさつ

スピーチする人
30代／男性

新郎新婦からのお礼のあいさつ

はじめ　主題・エピソード　むすび

❶本日はご多用にもかかわらず、わたしたちの結婚披露宴に、このように多くの方々にご列席たまわりまして、まことにありがとうございます。みなさまからの温かいご祝辞、応援のお言葉など頂戴しながら、自分たち二人はなんて幸せなのだろうかと感激しておりました。**❷この日を迎えるまで、山あり谷ありさまざまなことがございました。大きかったのはわたしの転勤です。**九州と北海道、二人が異なる地で暮らすことになってからの2年間は、おおげさですが二人にとって試練の日々でした。今日この日を迎えることができたのは、両親をはじめ、ご列席のみなさまのお力添えあってのことだと、心より感謝しています。

❸そうして結ばれたわたしたちですが、夫婦となったばかりの未熟者です。これからも、どうぞわたしたちを見守ってくださいますよう、お願い申し上げます。みなさまのご健康とご多幸をお祈り申し上げ、わたしたちからのお礼の言葉とさせていただきます。本日は、まことにありがとうございました。

あいさつの構成

①列席者へのお礼
↓
②本人たちのエピソード
↓
③列席者へのお願い

人気の引き出物の傾向

①カタログギフト
列席者が好きなものを、後でゆっくり選べるカタログが一番人気。

②食器類
新郎新婦の写真や名前などが入ったものは使いづらいので、入れるなら裏側に小さく入れる。

③食品
高級なお酒や調味料セットなども人気。

④タオル
家にあって困るものではなく、質のよいものは喜ばれる。

029例
本人たちからのお礼のあいさつ

スピーチする人
20代／男性

新郎から両親への感謝の言葉

❶ご列席のみなさま、本日はありがとうございました。この場を借りて、両親への手紙を読ませていただくことをお許しください。

❷父ちゃん、母ちゃん、今まで俺を育ててくれて、ほんまにありがとうございました。うちは、父ちゃんが口うるさくて、母ちゃんがどっしり構えてるよね。俺が中学生のころのこと覚えとる？　俺はまさに中二病やって、親がうるそうてうるそうてたまらんで、いっつも反抗的な態度とってたな。母ちゃんは何も言わんとそんな俺を見守ってくれて、ほんとに感謝してる。父ちゃんはなんやかんや俺と話したがってマジでうざかったな。そいでも、今だに思い出すんは、父ちゃんと夜中に歩いたあの川沿いの道やねん。なんや知らんけど、ときどき思い出すねん。今まで言うとらんかったけど、ほんまは嬉しかったんや。父ちゃんはいっつも俺の横におってくれてたんやね。

❸父ちゃん、母ちゃん、俺はリコと二人で幸せになるから心配せんといてな。そんで、だいぶ先になると思うけど、絶対に親孝行するから待っとってな。

あいさつの構成

①列席者へ許しをもらう
↓
②両親への思い
↓
③結びの言葉

ポイント
列席のお礼を述べた後、両親への手紙を読むことをことわってから話し始める。両親への手紙なので、いつもの呼び名でもOK。また、普段の言葉遣いで、素直に両親への思いを吐露してもかまわない。

注意点
プライベートな内容でも、列席者にも話がわかるように話す。

030例
本人たちからのお礼のあいさつ

スピーチする人
30代／女性

新婦から両親への感謝の言葉

はじめ　主題・エピソード　むすび

❶みなさま、本日はご多用のところ足をお運びくださりありがとうございます。ここでわたしから両親へ感謝の手紙を読ませていただきたいと思います。

❷お父さん、お母さんへ。うちは夫婦でお弁当屋をしていて、二人はお客さんたちからよく「おしどり夫婦だね」と言われていましたね。小学生のとき、わたしはお店で働いている二人に「どうしてそんなに仲がいいの？」と尋ねました。そのとき、わたしのほうを二人同時にパッと振り返って、「我慢！」と言ったんです。二人が同時に、です。今になればわかります。結婚生活、お互いに我慢することも必要だということは。ただ、ああ言った後、二人が顔を見合わせて微笑み合ったのを、わたしは見逃しませんでした。「ああ、お父さんたちはお互い好きなんだなあ」と嬉しくなったのを今でも覚えています。

❸お父さん、お母さん、今日までほんとうにお世話になりました。二人は、わたしにとって理想の夫婦です。どうかこれからも健康に気をつけて、おいしいお弁当を作り続けてください。わたしはうちのお弁当が大好きです。

あいさつの構成
①列席者へ許しをもらう
↓
②両親のエピソード
↓
③両親へのお礼

ポイント
スピーチではなく、「手紙」という形で原稿を読んでもOK。

注意点
面と向かって両親に感謝を伝える機会は、人生でそう何度もないので、恥ずかしがらず堂々と話す。

031例
本人たちからのお礼のあいさつ

スピーチする人
30代／男性

新郎新婦から両親への感謝の言葉

はじめ　主題・エピソード　むすび

本日はご多用のところ、わたしたちの結婚式へご列席いただきまして感謝申し上げます。**❶この時間を拝借して、わたしたちを育ててくれた両親へ感謝の気持ちを伝えますこと、お許しください。**

❷今日までわたしたちのことを育ててくださって、ありがとうございました。わたしたちが結婚することになり、お互いの両親にそれを打ち明けたときとても喜んでくれたこと、それは何より嬉しいことでした。以前からお互いの家を行き来していましたので、今ではもう美月の両親はわたしの両親、わたしの両親は美月の両親となっています。今日は多くの方にわたしたちの結婚披露宴を見守っていただき、また温かいお祝いの言葉を贈っていただきました。その言葉を忘れず、これからの結婚生活を歩んでまいります。

❸この花束は、わたしと美月で作ったプリザーブドフラワーです。お父さん、お母さんへの感謝の気持ちを込めて二人で一生懸命作りました。どうぞ受け取ってください。そして、これからもわたしたちのことを見守ってください。

あいさつの構成
①列席者へ許しをもらう
↓
②両親への感謝の言葉
↓
③両親への贈り物贈呈

結婚式での忌み言葉

・忙しい中（「亡」の字がある）→ご多用のところ、ご多用にもかかわらず
・スタートを切る→スタートラインに立つ
・去年→昨年
・実家を離れる→一人暮らしをする、寮に入る
・辛かった、苦しかった→大変な思いをした
・負けた→勝てなかった
・死ぬ、亡くなる→天国にいる、ご逝去する
・いろいろ→たくさんの
・忘れないで→覚えておいて、心にとどめて

結婚披露宴で使えるワンフレーズの〝決め言葉〟

結婚披露宴のスピーチで、何を話せばよいか迷ったとき、間違いのない〝決め言葉〟をご紹介します。これを入れておけばスピーチの印象が締まって、バシッと決まるフレーズを使ってみましょう。

●スピーチの冒頭にふさわしいフレーズ

○○さん、△△さん、ご結婚おめでとうございます。

本日は、この佳き日にお招きくださりありがとうございます。

本日はこのおめでたい祝儀にお招きいただき、まことに光栄に存じます。

ただいまご指名にあずかりました○○と申します。

新郎新婦ならびにご両家のみなさま、本日はまことにおめでとうございます。

ご両家、ご親族のみなさま、心よりお祝い申し上げます。

新生活のスタートを、心よりお慶び申し上げます。

お二人の門出を心よりお祝い申し上げます。

まことに僭越ではございますがご指名をたまわりましたので、一言お祝いを申し上げます。

「○○さん」と呼ぶのは慣れないため、普段通り「△△△」と呼ばせていただきます。

●スピーチの締めにふさわしいフレーズ

お二人のお幸せと、ご両親様ならびにご列席者のみなさま方のご繁栄をお祈り申し上げます。

今日まで育てていただいた、ご両親への感謝の気持ちを忘れずに、お二人で幸せな家庭を築いてください。

つたないあいさつではございますが、お二人のご多幸をお祈りいたしまして、お祝いの言葉といたします。

今日の喜びと感動を忘れず、お二人で温かいご家庭を築いてください。

これをもちまして、お二人へのはなむけの言葉とさせていただきます。

これからは二人で力を合わせ、明るく笑いの絶えない家庭を築いてください。

ご両家のさらなるご繁栄と、新郎新婦の末永いお幸せをお祈りして、わたくしのあいさつとさせていただきます。

みなさま方の、ご健勝とご多幸をお祈り申し上げ、簡単ではございますがわたくしからのごあいさつとさせていただきます。

本日は、お招きいただき、ほんとうにありがとうございます。お二人の前途とご両家の繁栄をお祈りしまして、わたくしからのお祝いの言葉とさせていただきます。

第4章

各種祝いの会でのあいさつ・スピーチ

032例
子どもの祝いでのあいさつ

スピーチする人
50代／女性

親戚が集まった出産祝いでの祝辞

はじめ　主題・エピソード　むすび

❶望緒ちゃん、出産おめでとう。ほんとうにお疲れさまでした。つわりがひどい時期にはほんとうにつらそうで見ていられないくらいだったけど、望緒ちゃんが頑張ってくれたおかげで赤ちゃんが無事生まれてくれたよ。ありがとう。

❷一歩も、おめでとう！　いよいよ一歩も父親なんだな。わたしは一歩が生まれたときのこともよく覚てるよ。兄さんがうちに飛んできて、「生まれた！男の子だ！」って、そりゃあもう大喜びでね。すぐに「祝杯だ！」とか言ってお父さんと二人でお酒を飲み始めたもんだから、お母さん、怒っちゃって。「これだから男はしょうがない。これから病院行かないといけないのにね」と言いながら、兄さんが親になったことがよほど嬉しかったのか、台所の隅で泣いてたね。

❸昔から「子はかすがい」って言うけど、望緒ちゃん、一歩、子どものためにも仲よくやっていってちょうだいね。たまにはお父さん、お母さん……いや、おじいちゃん、おばあちゃんに赤ちゃんの顔を見せてあげてね。

あいさつの構成

①甥の妻へのねぎらいの言葉
↓
②甥への言葉
↓
③甥夫婦へのお願い

ポイント

親戚の集まりなので、自己紹介は不要。甥夫婦へ出産に対するねぎらいの言葉や、子育てへの応援の気持ちを贈る。

033例
子どもの祝いでのあいさつ

スピーチする人
30代／男性

親戚が集まった出産祝いでの親からの謝辞

はじめ

❶今日は、僕たち夫婦と娘のためにお集まりくださりありがとうございます。妻の入院中から、みなさんには何かとご心配、お心遣いをいただきました。おかげさまで◯月◯日に生まれまして、3カ月になります。その節は、多分な出産祝いを頂戴いたしましてあらためてお礼を申し上げます。

主題・エピソード

❷娘の名前は、妻の名前の「彩子」から1文字とって「彩音」と名付けました。僕としては、とにかく妻のように健康で明るい女性に育ってほしいと思って、二人で相談して付けました。彩子は里帰り出産で、ひと月前にこちらに戻ってきました。お父さんお母さんには、ふた月近く、はじめての育児で不安な彩子と彩音のサポートをしていただき、ほんとうに感謝しています。ありがとうございました。

むすび

❸僕はといえば、ようやく彩音のおむつを替えたりお風呂に入れたりすることに慣れてきたところです。めざせ育メン！　頑張ります！　本日は、ありがとうございました。

あいさつの構成

①列席者へのお礼
↓
②子どもの名前を紹介
↓
③今後の抱負

ポイント

子どもが生まれた自分たちのために集まってくれた親戚へのお礼を伝える。出産祝いなどをいただいている場合は、そのお礼も加える。

妻が里帰り出産した場合には、妻の両親への感謝も述べる。

注意点

親戚なので知っているだろうが、あらためて娘の名前について、名付けの由来なども含めて紹介する。

034例
子どもの祝いでのあいさつ

スピーチする人
30代／男性

七五三のお祝いでの親からの謝辞

はじめ　主題・エピソード　むすび

❶本日は、唯の七五三の祝いにお越しいただき、ほんとうにありがとうございます。数日前から雨予報だったので心配していましたが、気持ちのよい秋晴れの一日となりました。娘の晴れ姿をみなさまに見ていただけて、たいへん嬉しく思います。

❷唯は、わたしたちにとって初めての子で、1歳半くらいまではしょっちゅう病気をしていたので無事に育ってくれるか心配もありましたが、おかげさまで3歳の祝いを迎えることができました。今では、病気をすることも少なくなり、最近のお気に入りはじいじに買ってもらった補助輪付きの自転車を乗り回すことです。また、ちょっとイヤイヤ期に入ったのか、親が何を言っても「イヤ！」と主張するようになって、困っていると同時にこれも成長のうちだと嬉しく思っています。

❸わたしたちも、親になってようやく3年。親としては若輩者ですので、これからも親子ともども見守ってください。よろしくお願いいたします。

あいさつの構成
①列席者へのお礼
↓
②子どものエピソード
↓
③列席者へのお願い

子どもの祝い事

【お宮参り】生後1カ月後に、神社に参拝し、無事に誕生したことを報告する。

【お食い初め】生後3カ月に、一生食べるものに困らないよう、膳を設ける。

【初節句】女の子は3月3日（桃の節句、雛祭り）、男の子は5月5日（端午の節句）。女の子は雛人形を、男の子は兜や鯉のぼりを飾り、健やかな成長を願う。

【七五三】女の子は3歳と7歳、男の子は5歳の年に神社やお寺に参り、健やかな成長を祈る。

035例
還暦の祝いでのあいさつ

スピーチする人
50代／男性

会社の人の還暦を祝う会での祝辞

はじめ

❶本日ご列席の方々には、わが遠井川株式会社の塚田社長の還暦をお祝いする会にお運びくださり、まことにありがとうございます。田町支社一同を代表しまして、塚田社長には心からお喜び申し上げます。

主題・エピソード

❷塚田社長には、還暦を迎えられたとは到底思えないような若々しさを感じます。いつお目にかかってもはつらつとされており、わたくしたち社員の模範となる、最高のお手本でいらっしゃいます。趣味ではマラソンを熱心にされており、昨年はあの東京マラソンにも出場され、その時は有志で沿道での応援に行かせていただきました。また、以前より「仕事に集中するには家庭円満が何より大切だ」というのが口癖でいらっしゃるのですが、社長は実はお料理もお得意で、休みの日にはご家庭で腕を振るっていらっしゃって、奥様やお嬢様にもとても喜ばれているとのことです。

むすび

❸塚田社長におかれましては、さらなるご健勝とご活躍をお祈り申し上げます。本日は、まことにおめでとうございます。

あいさつの構成

①列席者へのお礼
↓
②社長のエピソード
↓
③結びの言葉

ポイント

会社が主催した会の場合、取引先などの関係者の列席に対してはお礼を述べ、主役の社長には祝辞を述べる。

社長の会社での様子を話し、社員の模範となっていることを伝える。

社長への、今後のご活躍を祈る言葉で結ぶ。

036例
還暦の祝いでのあいさつ

スピーチする人
60歳／男性

会社の人の還暦を祝う会での謝辞

はじめ　主題・エピソード　むすび

❶ご列席のみなさま、本日はわたくしのためにこのような素晴らしい会を催してくださり、まことにありがとうございます。還暦を祝っていただくことに対して、気恥ずかしさから、正直多少の抵抗感があったのですが、みなさまからの温かいお言葉を聞きながら、今はとても幸せを感じております。

若いころは、還暦というと、ビジネスマンとしてはもう終わりというイメージがありました。**❷しかし、実際に自分がこの年になってみると、仕事上やりたいことは数多くありますし、まだやれるという自信もあります。**もちろん若いころとは馬力が違うことは認めざるを得ませんが、わたくしは一人で働いているわけではございません。ここに集まってくださった方々、従業員のみなさまの協力をいただきながら、「ワンチーム」で仕事をしているということを日々感じております。

❸年相応にガタが来ているので、体には気をつけながら、これからも仕事にまい進していく覚悟でおります。どうぞよろしくお願いいたします。

ポイント
会を催してくれたことに対するお礼を述べる。還暦になった感想を話しながら、仕事への情熱も失っていないことを率直に述べるとよい。

注意点
自分の昔話や自慢話に終始しないようにする。仕事にはみんなの協力が必要だということを伝える。

あいさつの構成
①主催者へのお礼
↓
②還暦を迎えての感想
↓
③今後の抱負

037例
長寿の祝いでのあいさつ

スピーチする人
50代／女性

親戚が集まった古希を祝う会での祝辞

❶総一おじさま、本日はおめでとうございます。この間、おじさまの還暦のお祝いをしたばかりのような気がするのですが、月日の経つのはほんとうに早いですね。

❷おじさまは一昨年まで現役で働いておられたので、今でもかくしゃくとされていて、朝早く起きて一番に二つの新聞に目を通すことを続けていらっしゃるそうですね。おじさまは昔から物知りだったから、こんなふうにみんなで集まったときには、わからない言葉をよく教えてもらっていました。一見お変わりないようですが、年齢的なことを考えると、これからはいっそう体に気をつけてほしいです。おばさまが言っていましたよ、「あの人は体のことを話すと、いつも『大丈夫だ』って言って取り合ってくれないの」って。愛する旦那様の体を心配する奥様の気持ちもわかって差し上げてくださいね。

❸おじさまには、これから「喜寿」も「傘寿」も祝って差し上げたいので、ほんとうに体にだけは気をつけてください。

年齢と「賀寿」①（②は74ページ）

【還暦（かんれき）】数え年で61歳（色（テーマカラー、以下同）：赤）…十干十二支が60年で一巡し、61年目には生まれた年と同じ「暦」に「還」ることから。

【古稀（こき）・古希（こき）】数え年で70歳（色：紫）…杜甫の『曲江』の「人生七十古来稀なり」（七十年生きることは古くから稀である）から。

【喜寿（きじゅ）】数え年で77歳（色：紫）…「喜」の草書体「㐂」が七十七と読めることから。

あいさつの構成

①お祝いの言葉
↓
②本人のエピソード
↓
③叔父へのお願い

038例
長寿の祝いでのあいさつ

スピーチする人
70代／女性

親戚が集まった傘寿を祝う会での謝辞

むすび　主題・エピソード　はじめ

❶本日は、わたくしの傘寿を祝うために、遠方からも多くの方が集まってくださってありがとうございます。年をとると、自分の誕生日はあまり嬉しいものではなくなってくるものですが、こんなふうにみなさんにお祝いされるとは思っておらず、望外の喜びです。

❷あらためて自分の人生を振り返ると、たくさんの出来事が走馬灯のように思い出されますが、みなさんにお世話になりながら今日までやってこられたのだなあと、深く感謝の気持ちでいっぱいです。昨年、夫が他界してからは、なんとなく気が滅入る日々を送っておりましたが、とくに子どもたちには何かと気をつかってもらって少しずつですが前を向く気持ちになりました。また、今日は孫たちの明るい笑顔を見ることができて、ほんとうによかった。とても元気が出ましたよ。夫も今日の日を喜んでくれていると思います。

❸今日はほんとうにありがとうね。みなさんに祝ってもらった今日の日を忘れず、明日からも精一杯生きてゆきます。

年齢と「賀寿」②

【傘寿（さんじゅ）】数え年で80歳（色：黄）…「傘」の略字「仐」が八十と読めることから。

【米寿（べいじゅ）】数え年で88歳（色：黄）…「米」の字が「八・十・八」に分けることができることから。

【卒寿（そつじゅ）】数え年で90歳（色：紫）…「卒」の略字「卆」が「九・十」に読めることから。

【白寿（はくじゅ）】数え年で99歳（色：白）…「百」という字から上の「一」をとると「白」になることから。

あいさつの構成

①列席者へのお礼
↓
②傘寿を迎えての感想
↓
③今後の抱負

039例
結婚記念日でのあいさつ

スピーチする人
20代／女性

親戚が集まった銀婚式での祝辞

❶お父さん、お母さん、銀婚式おめでとうございます。二人が結婚して25年、わたしが生まれて25年で、修が生まれて23年ですね。

❷わたしたちきょうだいから見て、「夫婦」というものの形は、よくも悪くも「お父さんとお母さんの形」です。だって、ほかの夫婦をこんなふうに毎日見ながら過ごしたことがないから。いつも小言を言いながら家事をするお母さんと、いつも小言を言われながら家事をするお父さん。仲が悪いかといえばそうでもない。修といつも「不思議だね」と言っています。わたしはいつも周りの友だちから「仲がいい家族だね」と言われます。わたしはそれがとても嬉しいです。なんだか二人のことをほめられているような気がするのです。これからも仲のよい家族でいたい。わたしたちはいずれ独立するけれど、家族の絆は変わりません。家族の絆は、わたしたちきょうだいの自慢です。

❸お父さん、お母さん、これからも小言を言い合える仲よし夫婦でいてください。そして、金婚式もこうやって集まれることを願っています。

ポイント

銀婚式を迎えた両親にお祝いの言葉を述べる。面と向かっては言えない両親への気持ちを伝える絶好の機会。

夫婦の歴史は家族の歴史。家族のエピソードを話すのもよい。

あいさつの構成

①お祝いの言葉
↓
②両親のエピソード
↓
③両親へのお願い

040例
結婚記念日でのあいさつ

スピーチする人
50代／男性

親戚が集まった銀婚式での謝辞

はじめ

❶みなさま、本日はわたしたちのために足をお運びいただき、ありがとうございます。子どもたちだけでなく、みなさまにまでこんなふうに祝っていただけるなんて、とても感激しています。

主題・エピソード

最初、子どもたちから「銀婚式をやろうよ」と話を持ちかけられたときは、わたしは「仰々しくやるほどのことではない」と渋っていたのですが、悠人から「お母さんのためにやってあげたい」と説得されました。たしかに日ごろ、妻へは何もしてあげておらず、晴れて結婚25年を迎えられたお祝いをするのもよい機会と思えました。ここで、妻への感謝の気持ちを述べさせていただきます。**❷俊子さん、結婚して25年、口下手で融通のきかないわたしと一緒にいてくれてありがとうございました。これからも愛想をつかすことなく一緒にいてください。よろしくお願いします。**

むすび

❸今日、この日を迎えられたのはみなさまのおかげでもあります。これからも、どうぞよろしくお願いします。

ポイント

自分たち夫婦のために集まってくれた親戚に向けてお礼を述べる。

この機会を利用して、ここまで二人三脚で歩いてきてくれた妻に感謝の言葉を述べてもよい。妻のほうを見て、照れずにきちんと話すこと。

あいさつの構成

①列席者へのお礼
↓
②妻への感謝の言葉
↓
③結びの言葉

041例
結婚記念日でのあいさつ

スピーチする人
70代／女性

仲間が開いてくれた金婚式での謝辞

はじめ

❶このたび、わたしたち夫婦は金婚式を迎えました。このようにみなさまが集まってくださったこと、そのお気持ちがとても嬉しく、感謝しております。夫に代わってごあいさつさせていただきます。

主題・エピソード

❷この50年を振り返りますと、一番は、やはり二人の子を授かったことが嬉しいことでした。わたしたちは夫婦で居酒屋をやっておりましたので、仕事に子育てに、毎日が慌ただしく過ぎていきました。子どもたちを十分にかまってあげられない至らない親のもとで育った二人ですが、立派に成長してくれました。夫が一昨年から少し体を壊しているので、今はそれが気がかりではありますが、子どもたちも孫たちもわたしたちを支えてくれているので、たいへんありがたく、心強いです。いつもありがとうね。

むすび

❸みなさまのこれまでのご親切に感謝申し上げます。これからも変わらないお付き合いのほどをお願い申し上げ、お礼のあいさつに代えさせていただきます。本日は、ありがとうございました。

あいさつの構成

①主催者へのお礼
↓
②50年を振り返っての感想
↓
③結びの言葉

結婚記念日（10周年以降）

10年…錫（すず）婚式・アルミ婚式
11年…鋼鉄婚式
12年…絹婚式・亜麻婚式
13年…レース婚式
14年…象牙婚式
15年…水晶婚式
20年…磁器婚式
25年…銀婚式
30年…真珠婚式
35年…珊瑚婚式
40年…ルビー婚式
45年…サファイア婚式
50年…金婚式
55年…エメラルド婚式
60年…ダイヤモンド婚式

042例
快気祝いでのあいさつ

スピーチする人
50代／男性

高齢の人の快気祝いでの祝辞

はじめ　主題・エピソード　むすび

①金城社長、ご退院おめでとうございます。新橋支部を代表して、わたくし佐々木がごあいさつ申し上げます。金城社長におかれましては、8カ月にも及ぶ長期のご闘病に打ち勝ち、先月ご退院されました。ご家族さまもさぞお喜びのことと存じます。

②日ごろ、ご病気などの話を耳にしたことがありませんでしたので、このたびのことでは社員一同、たいへん驚きました。わたくしどもとしては、ただ社長が元気になられて復帰されることだけを首を長くしてお待ちしていました。社長は、入院中、持ち前の責任感の強さでつらい治療にも耐え、その後のリハビリも辛抱強く行っておられたと、ご家族さまから伺っておりました。本日、9カ月ぶりにお会いした社長は、以前と変わらず、お顔の色もたいへんよく、心より安堵しております。

③今後はどうぞご自愛専一になさってください。そして、これからもその優しい笑顔でわたくしどもをご指導ください。

ポイント

高齢の方が病気などで入院、手術、退院された後の快気祝いの会では、快復をお祝いし、今後の健康を祈る。

注意点

病気について深く詮索したり、知っていても説明したりすることは不要。無事に退院できたことにフォーカスして話をする。

あいさつの構成

①お祝いの言葉
↓
②社員の気持ち
↓
③社長へのお願い

043例
快気祝いでのあいさつ

スピーチする人
70代／男性

高齢の人の快気祝いでの謝辞

むすび　主題・エピソード　はじめ

❶みなさん、今日はわたしのためにお集まりいただき、ありがとうございます。このたびは、ご心配、ご迷惑をおかけして、たいへん申し訳ありませんでした。

❷いつも「元気だけが取り柄」と豪語していたこのわたしが、突然道端で倒れたのが5月の連休の最初の日でした。胸が締めつけられるような激痛で立っていられなくなり、その場に居合わせた方が救急車を呼んでくださいました。そこからのことはよく覚えておりません。診断は狭心症ということで、カテーテルによる治療をすることになり、結局2週間ほど入院し、先週、退院することができました。この間、多くの方からご心配のお電話や励ましのメッセージをいただきまして、おかしな言い方になりますが、わたしのことをこんなにも心配してくださる方がいるのだと驚きました。無事に快復し、みなさんのお顔を拝見できたこと、とても嬉しく思っています。

❸これからは自分の体力を過信せず、体調に気を配って生活してまいります。

ポイント

周囲の方へ心配をかけたことに対してのお詫びの気持ちと、快復できたことへの喜びの気持ちを伝える。

倒れたときの状況や入院後の治療について、集まった方には簡単にでも伝えたほうがよい。

あいさつの構成

①お礼とお詫び
↓
②入退院の経緯
↓
③今後の抱負

044例
快気祝いでのあいさつ

スピーチする人
30代／男性

現役世代の快気祝いでの祝辞

はじめ

❶村田課長、職場復帰おめでとうございます。営業部一同、この日をお待ちしておりました。みなさん、村田課長に拍手！

主題・エピソード

❷あの日、朝出社すると、社内は課長が交通事故に遭われたという話でもちきりでした。ただ、誰も大変な事故だとは思っておらず、「村田課長はラグビーで鍛えているから、向こうの車のほうが凹んだんじゃない？」なんて冗談を言っていたのです。すみません。でも、脚や腕の複雑骨折もあって全治5カ月だと聞いて、みな顔色が変わりました。それからは、営業一課の雰囲気もどこか沈みがちで、課長の「おい、どうした、どうした？」というもの大きな声が聞こえないことが、こんなに課を暗くするのかと驚きました。お見舞いに伺えば、明るく振る舞ってくださっていましたが、うちの課のことやご家族の心配もおありになったと思います。

むすび

❸もう職場復帰なさったとはいえ、しばらくは頑張るのは元気な声だけに留めておいてください。100％お元気になられることをお祈りしています。

あいさつの構成

①お祝いの言葉
↓
②入院時のエピソード
↓
③課長へのお願い

快気祝いの会

【場所】
・自宅…本人が移動せずに済むので負担が少なく、くつろげる。家族に負担がかからないよう配慮。
・レストランや料亭など…個室や椅子席にし、和室なら掘りごたつがあるような会場がベスト。

【注意すること】
・日時や場所などは、本人の体調や希望に合わせる。
・本人が食べる物に制限がないかを確認しておく。
・長時間にならないように、開催時間を決めておく。

045例
受賞祝いでのあいさつ

スピーチする人
30代／女性

受賞祝いの会での祝辞

はじめ　主題・エピソード　むすび

❶牛町さん、このたびの〇〇建築賞受賞、心よりお慶び申し上げます。 ただいまご紹介にあずかりました、わたしは牛町さんがかつて勤務していた会社の元同僚の榊と申します。一言お祝いを述べさせていただきます。

❷牛町さんの第一印象は、「おっとりした性格で人と争うことが嫌いな人」でした。 入社した1年目、公園のデザインコンペで同じチームで取り組むことになったのですが、彼が提案してくるデザインはことごとく新鮮で、彼の鋭い感性は当時から群を抜いていました。最近ではメディア各所に取り上げられ、新進気鋭の建築家として有名人となりましたが、年に一度集まる同期会では、相変わらずみんなが楽しんでいるのをニコニコと笑顔で見ている人です。わたしたちの同期の中から、これほど栄誉ある賞を受賞する人が出るなんて、ほんとうに誇らしい気持ちで、あの時のわたしたちに教えてあげたいです。

❸これからも活躍して、「世界のウシマチ」と言われるよう、日本人建築家として世界に羽ばたいていってほしいと強く願っています。

ポイント
受賞祝いでの元同僚へのスピーチでは、思い出話を通して本人の「人となり」を語る。結びで、今後の活躍を祈るときは、多少語気を強めて願いを込める。

注意点
若かりしころの話をしようとするとき、今となっては多少恥ずかしい過去を話す場合もあるが、その場合でも、今回の栄誉ある賞をおとしめるようなエピソードは避ける。

あいさつの構成
①お祝いの言葉
↓
②受賞者のエピソード
↓
③今後の活躍を祈る言葉

046例 叙勲祝いでのあいさつ

スピーチする人 60代／男性

叙勲祝いの会での謝辞

はじめ

❶本日は、わたくしのためにこのように多くの方にお集まりいただき、まことにありがとうございます。

主題・エピソード

❷わたくしが俳句をつくり始めたのは15のときでした。俳句というのは、ご存じのとおり五・七・五という17文字からなっており、その中に季語を入れるというルールがございます。この季語というのは、日本の四季折々の感性豊かな言葉でして、15のわたくしはこの季語の美しさに魅せられてしまい、あれから半世紀ものあいだ、俳句を作り続けてきました。17文字という短い詩の中に、俳句の作り手の思い、人生の機微が詰まっている、そのことがわたくしの心を離さないのです。昨今、俳句は「HAIKU」として世界中の人たちに愛されています。そのため、一人でも多くの方にこの俳句の魅力をお伝えできればと、世界へ向けて俳句の素晴らしさを発信しております。

むすび

❸このようなわたくしにとってこのたびの文化勲章の受章は、望外の喜びでございます。ありがたく頂戴し、今後も精進し続けていく所存です。

あいさつの構成

①列席者へのお礼
↓
②俳句と自分の人生について
↓
③今後の抱負

「叙勲」（勲章の種類）

大勲位菊花章…旭日大綬章又は瑞宝大綬章を授与されるべき功労より優れた功労のある方／**桐花大綬章**…旭日大綬章又は瑞宝大綬章を授与されるべき功労より優れた功労のある方／**旭日章**…国家又は公共に対し功労のある方で、功績の内容に着目し、顕著な功績を挙げた方／**瑞宝章**…国家又は公共に対し功労のある方で、公務等に長年にわたり従事し、成績を挙げた方／**文化勲章**…文化の発達に関し特に顕著な功績のある方

047例
出版祝いでのあいさつ

スピーチする人
40代／男性

出版記念会での謝辞

はじめ

❶本日はわたくしのために、このような盛大な会を催していただき、祥栄企画出版の谷岡社長をはじめ、みなさまにたいへん感謝しております。

主題・エピソード

日々、臨床の現場に立っておりますと、実に多くの人々の人生を垣間見ることになります。そういった中で、自分が医師であることの真の意味とは何かを考えざるを得ません。**❷小説を書くというのはわたくしにとって、自分への問いかけであると同時に、答えの出ない問いに答え続けるという苦行といっても差し支えない作業です。**それをもう10年以上続けているのですから、人様から見ると「変人」以外の何者でもありませんね。今回、○○賞を受賞したわたくしにとって8作目になるこの作品も、十分に産みの苦しみを味わいながら書いたものですが、お陰様で評判もよく、ありがたく思っています。

むすび

❸常に筆の進まぬわたくしを励まし続けてくれる編集の片桐氏には、いつもながら頭が上がりません。この場を借りてお礼申し上げます。今後もファンのみなさまに愛される作品を書き続けていく所存です。

あいさつの構成

①出版社へのお礼
↓
②小説を書くことについて
↓
③担当編集者へのお礼

ポイント

出版記念会が出版社の主催であれば、社長の名前を出してお礼を述べる。

執筆時のエピソードを語り、編集者ほかお世話になった方がいればこの場を借りてお礼を伝え、今後の意気込みも話す。

048例
個展祝いでのあいさつ

スピーチする人
50代／女性

個展を開催した友人への祝辞

はじめ　主題・エピソード　むすび

❶**秋田さん、本日は個展の開催、おめでとうございます。心よりお祝い申し上げます。**わたしは同じ「○○会」に所属する井上です。

❷**秋田さんが○○会に入って来られたのは、もう20年も前になります。**入会当初、まったく初めてという銅版画になぜ興味を持たれたのか伺ったところ、お仕事が金融関係ということで「仕事とは無縁のことに没頭したい」とのことでした。あれから月に2回、アトリエで基礎から学ばれ、その腕前はどんどん上がっていかれました。ご指導くださっている小川先生も、目をみはるようだと毎回おっしゃっていました。○○会では、年に1回グループ展を開催するのですが、毎年のようにいらっしゃる方々は、口々に秋田さんの銅版画がより精密な、より感情豊かな作品になっていることを褒めていらっしゃいました。そして、今回、この20年間の集大成としての個展を開かれたこと、ほんとうに素晴らしいと思いますし、自分のことのように感慨深いです。

❸**○○会の顔として、今後もいっそう素敵な作品作りに没頭してください。**

ポイント

個展の開催者へのお祝いの気持ちを込めてスピーチする。

20年という長い年月をサークルでともに過ごしてきた友人としてエピソードを紹介し、本人のたゆまぬ努力をたたえる。

あいさつの構成

①お祝いの言葉
↓
②友人のエピソード
↓
③友人へのお願い

049例
新築祝いでのあいさつ

スピーチする人
30代／男性

新築祝いでの謝辞

はじめ

❶本日はご多用中、遠路はるばるお越しいただき、ありがとうございます。また、心尽くしのお祝いの品々まで頂戴しまして、心よりお礼を申し上げます。

主題・エピソード

❷わたしは幼少期に自然豊かなところで育ったことから、自分の家を持つときにはやはりそういう景色のよい場所にしたいと思っていました。妻も子どもを育てるなら、多少不便でも思い切り遊べる環境を与えてやりたいと思っていたようで、いよいよ家を建てることになったときには意見が一致しておりました。ただ、今日ここまでいらっしゃってお気づきのように、わたしの通勤時間が1時間半かかるのは正直難点ではありますが、子どもたちのためを考えれば苦になりません。最近は、わたしと妻の二人で早朝の散歩を楽しむようになり、おかげさまで適正体重となってきました。

本日は、多くの方にいらしていただき、子どもたちも大喜びです。裏の森もとても雰囲気がいいので、散策してみてください。

むすび

❸特別のおもてなしはできませんが、どうぞゆっくりおくつろぎください。

あいさつの構成
①来訪者へのお礼
↓
②家を建てることへの思い
↓
③結びの言葉

ポイント
念願のマイホームを持てたことの喜びを語りつつ、お祝いに来てくれた人たちに歓迎のあいさつをする。

注意点
喜びを伝えたいという気持ちが高じて、自慢話にならないように注意する。

050例
開店祝いでのあいさつ

スピーチする人
40代／女性

友人の開店祝いでの祝辞

はじめ

❶茜さん、このたびは念願のベーカリーのご開店、ほんとうにおめでとうございます。茜さんのセンスが光る、とっても素敵な、そして温かな雰囲気のお店になっていて、入ったとたんにうっとりしてしまいました。

主題・エピソード

❷茜さんが、旦那様やお子さんのためにおいしいパンを作りたいと、駅前のパン教室に通い始めたのは10年くらい前でしたよね。それから3年くらい経って、今度は都心の本格的な教室に移ったころから、茜さんの腕前は本物のパン職人さんの域に達していきました。時々、おすそ分けしていただいていたので、その上達度合いには目をみはるものがありました。材料のことから仕入先のことまで勉強なさって、試行錯誤を繰り返してこられた努力を知っているだけに、今日の日を迎えられたことがわがことのように嬉しいです。

むすび

茜さんの作る創作パンは、見映えもさることながら、とってもおいしくて、食べると幸せな気持ちになります。**❸茜さん、これからもあなたのパンでみんなを幸せにしてくださいね。応援しています。**

あいさつの構成
①お祝いの言葉と店の感想
↓
②開店までの経緯
↓
③結びの言葉

ポイント
お祝いの言葉を述べ、開店したお店についての感想を伝える。
開店までに地道な努力を重ねてきたこと称え、これからも応援していく気持ちを伝える。

051例
開店祝いでのあいさつ

スピーチする人
50代／男性

開店祝いでの謝辞

はじめ　主題・エピソード　むすび

❶今日は、みなさんに集まっていただき、僕ら夫婦のお店を見ていただけたこと、とても幸せに感じています。

❷僕が最初に有機野菜に目覚めたのは、あるレストランのサラダを食べたことでした。「今まで食べていた野菜って何だったのか?」と思うくらい、一つひとつの野菜に味があって、とてもおいしい。聞けば、ご主人が直接農家さんと契約して取り寄せているとのこと。それから僕は休みごとに妻を誘って、レストランや直売所などに通いました。2年ほど経ってから、サラリーマンを辞めて有機野菜を販売するお店を始めたいと妻に話しました。絶対反対されると思ったのに「わたしも一緒にやりたい」と言ってくれて、それからは一心不乱にやってまいりました。食べることは生きること。僕らの野菜を召し上がってもらい、幸せを感じていただくお手伝いをしたいと思っています。

今日は、選りすぐりの野菜を揃えました。どうぞたくさん味見をして帰ってください。**❸これからどうぞご贔屓に。よろしくお願いいたします。**

あいさつの構成

①列席者へのお礼
↓
②開店までの経緯
↓
③列席者へのお礼

ポイント

脱サラして夫婦でお店を開くことになった経緯を伝え、食を通じてお客様を幸せにしたいという気持ちを熱く語る。

052例
起業祝いでのあいさつ

スピーチする人
30代／男性

起業を祝う会での祝辞

はじめ　主題・エピソード　むすび

❶高梨くん、このたびはまことにおめでとうございます。

高梨くんから「会社を辞めて起業したい」と打ち明けられたとき、最初、僕は真に受けませんでした。というのは、**❷高梨くんはほんとうに有能で、わたしたちの会社にはなくてはならない存在であり、クライアントからの信頼も厚い人だったからです。**そんな彼が会社を辞めるということも信じられませんでしたし、これから脂が乗る時期なのに、なぜ自分から困難な道に進もうとしているのかが理解できませんでした。しかし、彼のプランを聞いて彼が本気だとわかってからは、僕も陰ながら力になろうと決めました。彼が「できる男」だということは、同期の僕が誰よりも知っていましたし、彼の能力があれば必ず成功すると思えたからです。

❸本日ここにお集まりのみなさまも、高梨くんの人柄に惚れ、応援してくれている人たちばかりです。高梨くん、この方たちの応援を背に、これからもしっかり頑張ってください。

お祝いの贈り物

【新築祝い】…花や観葉植物、雑貨を贈る。雑貨は、趣味に合わないこともあるので、親しい間柄ならほしい物を聞いて購入する。

【開店祝い】…最も多いのは店内に飾る花（アレンジメントや胡蝶蘭）や観葉植物などで、「祝　御開店」「開店祝」の立て札をつけて。

【起業祝い】…事務所がある場合は、花や観葉植物が一般的。ない場合は、お祝い金やお酒、ギフト券など。
※どれもお祝いとして現金を渡しても失礼ではない。

あいさつの構成

①お祝いの言葉
↓
②起業までの経緯
↓
③友人へのお願い

コラム

各種祝いの会で使えるワンフレーズの〝決め言葉〟

各種お祝いの会のスピーチで、どのように話せば相手に気持ちが伝わるのか迷ったとき、このフレーズを使ってみましょう。これを入れておけばスピーチが決まる〝決め言葉〟を集めました。

●子どもの祝いの会にふさわしいフレーズ

子どもだとばかり思っていた○○が親になるなんて、時の経つのはなんとはやいことでしょう。

親となって、これまで以上に家庭に責任をもたなければならないと決意しました。

子どもの成長は早いといいますが、○○が生まれてからはほんとうにあっという間の5年でした。

●長寿の祝い・式典にふさわしいフレーズ

若い方に囲まれていると、自分の年を忘れてしまいます。

このように多くの方がお集りになったのは、ひとえに○○さんの人徳でしょう。

どうか健康に気をつけて、いつまでも元気でいてください。

●結婚記念日にふさわしいフレーズ

○○式を迎えられたのは、支えてくれた妻（夫）のおかげだと思っております。妻（夫）には感謝してもしきれません。

夫婦で力を合わせて、○○式を迎えるまで連れ添うことができました。

お二人はほんとうに仲がよく、つねづね感心し、うらやましくも思っていました。

次の○○式まで、夫婦二人で頑張っていきます。

●快気祝いにふさわしいフレーズ

やり残したことがたくさんあるので、これからはそれを一つずつ実現させます。

健康でいてこそ何でもできるんですよね。

おじいちゃん、また○○○○に一緒に行こうね！　楽しみにしているよ。

●受賞・叙勲祝い等にふさわしいフレーズ

○○さんのたゆまぬ努力が実を結んだものと、自分のことのように嬉しいです。

わたくしに才能があったとすれば、それはただひたむきに続けることでした。

この仕事にまい進することが、わたしを支えてくださる方々への恩返しになると思っています。

●新築・開店祝い等にふさわしいフレーズ

みなさんに祝っていただいた今日は、わたしの一生の記念日となりました。

幾多の困難をも乗り越えて、ここまで頑張ってきた○○さんはほんとうにすごいです。

第5章

ビジネスの場での
あいさつ・
スピーチ

053例
会議でのあいさつ

スピーチする人
50代／男性

通常の支店長会議での冒頭のあいさつ

はじめ　主題・エピソード　むすび

本日はお足元の悪い中、お集まりいただき、ありがとうございます。❶**定刻になりましたので、ただいまより支店長会議を始めます。わたくしは、本日の進行役を務めさせていただきます山元川支店の西村と申します。**よろしくお願いいいたします。

❷**本日の会議では、午前の部として、まず各支店から今期の実績についてご報告いただきます。その後、各支店の来期の目標値、ならびに目標達成のための具体策を発表していただきます。**昼休憩を挟みまして、午後は午前中に発表のあった具体策についてご意見をいただき、改善策を検討していきたいと思います。この場を有意義なものにするために、積極的なご意見をお願いいいたします。最後に、全社的な方向性をまとめまして本日の会議は終了となります。会議の終了時刻は15時を予定しております。

❸**それでは早速ですが、港町支店の来栖支店長からお願いいいたします。みなさまはお手元の資料をご覧ください。**

あいさつの構成

①会議開始の言葉と自己紹介
↓
②会議の流れを説明
↓
③会議開始を促す

ポイント

会議の冒頭のあいさつなので、長々と話すことはせず、端的に話す。

あいさつの中で会議の流れを伝えることで、会議の効率化をはかる。

顔を合わせての貴重な機会なので、積極的な発言を促す。

054例
会議での
あいさつ

スピーチする人
50代／男性

通常の支店長会議での締めのあいさつ

はじめ

❶まだまだご意見が出されている途中ですが、予定の時刻となりましたので、そろそろ終わりにしたいと思います。 本日は、活発なディスカッションを行うことができ、たいへん有意義な会議となりました。

主題・エピソード

❷本日の議題に関してまとめさせていただきますと、来期の目標値につきましては、全支店において前期比3％以上アップといたします。 具体策につきましては、さまざまにいただきましたご意見をまとめて、のちほどメールにてお送りいたします。ぜひ各支店で社員に共有していただき、目標値達成に全社で取り組みたいと思いますので、よろしくお願いいたします。なお、本日出されなかった意見でも、よりよい方策がございましたら、いつでもわたくしのほうへお知らせください。

むすび

❸次回の会議は、1月15日の午前10時からを予定しております。その折には、今回の目標値の達成状況等について伺いますので、ご準備のほどお願いいたします。 本日は、長い時間お疲れさまでした。お気をつけてお帰りください。

ポイント

無事に会議を終えられたことに感謝の意を伝える。次回の会議の予定が決まっていれば、最後に連絡事項として伝える。

注意点

ビジネスの場では時間厳守。意見交換の途中でも定刻になったら締めのあいさつに入る。

あいさつの構成

①会議の締めを促す
↓
②会議のまとめ
↓
③次回会議の連絡

055例
会議でのあいさつ

スピーチする人
50代／女性

緊急会議でのあいさつ

むすび　主題・エピソード　はじめ

お忙しい中、お集まりいただきましてありがとうございます。❶**これから、わが社の個人情報の管理体制についての緊急会議を行います。会議は2時間を予定しております。**

ご存じかと思いますが、昨日、大手証券会社でホームページ利用者の個人情報が多数流出した可能性があるとのニュースが流れました。システムの変更が一因と思われるとの報道がありましたが、❷**わが社でも利用者の個人情報をお預かりしています。あらためて情報管理の体制を緊急に見直すべきとの意見が出ましたため、本日お集まりいただきました。**わが社のシステム構築については、のちほどサイバーセキュリティチームからレクチャーしてもらいます。その後、ここ1年で発生した個人情報管理に関するトラブルを例に、具体的な改善点などを話し合いたいと思います。

❸**昨日のニュースを他人事とせず、「明日はわが身」との認識のもと、真剣な意見交換をしたいと思います。**みなさま、よろしくお願いいたします。

ポイント

最初に、何のために招集された緊急会議なのかを端的に説明する。

真剣な口調で話すことで、会議に緊張感をもたせる。

あいさつの構成

①会議開始の言葉
↓
②会議のテーマを説明
↓
③積極的な参加を促す

056例
朝礼でのスピーチ

スピーチする人
50代／男性

社長の朝礼でのスピーチ①

はじめ

❶**みなさんおはようございます。今朝、出社前にそこの公園をひと回りしてきましたが、紅葉が美しい季節になりましたね。**

主題・エピソード

❷**先日、取引先の方にお会いしたとき、組織とはなんぞやという話になりました。同じ組織形態でもうまく回っている会社とそうでない会社の違いはなんだろうという話です。**そのときに出たのは、情報の共有がうまくいっている会社こそ活気があり、業績もよいということでした。つまり、個々の分割されたグループでいくら業績を伸ばそうとしても、会社全体として必要な情報共有がなされていないと業績アップは望めないということです。わが社においてはどうでしょうか。各部門間の情報共有はうまくできていますか。社の風通しをよくして、全社員が一丸となって仕事に取り組めるよう、いま一度、見直してみる必要があると思います。

むすび

❸**本日は、この後プロジェクト会議を行いますので、その場でもこの件について話をしましょう。それでは、今日も一日、頑張りましょう。**

あいさつの構成

①朝のあいさつ
↓
②取引先でのエピソード
↓
③社員を鼓舞する言葉

ポイント

朝礼でのあいさつは、その日一日を始めるうえで大切なもの。長々とした話は疲れるので、短めにし、社員が仕事に前向きに取り組めるようなエピソードを盛り込む。

057例
朝礼でのスピーチ

スピーチする人
60代／女性

社長の朝礼でのスピーチ②

はじめ　主題・エピソード　むすび

みなさん、おはようございます。**❶さて今日、10月27日は何の日か知っていますか？　はい、喜多くん、どうですか？　今日、10月27日は「本の日」です。今日から11月9日までは「読書週間」とされています。**

❷みなさん、最近本を読んでいますか？　わたしは司馬遼太郎が好きで、彼の小説はほとんど読んでいます。歴史小説と言われるジャンルですが、私が好きなのはそこに描かれた人たち、もちろん有名な坂本龍馬のような偉人もいますが、そうでない普通の人たちが懸命に生きていた、そのことに魅力を感じるのです。わたしたちのような凡人でも、れっきとした社会の構成員であり、よい社会をつくるために懸命に働き、生きてこそ自分の人生をまっとうすることができるのです。

忙しさにかまけて読書の時間がないとぼやく人もいますが、時間は自分でつくるもの。**❸本は自分を成長させてくれ、仕事はもちろんのこと日々の生活に活かせるヒントがたくさんあります。ぜひ、本を読みましょう。**

あいさつの構成

①今日は何の日か
↓
②読んだ本の紹介
↓
③読書のすすめ

朝礼の話題の見つけ方

朝礼で話すネタは、さまざまなところに転がっている。日ごろから気になったことをメモしておくとよい。

- 最近読んだ本や雑誌
- 朝のニュース
- 新聞の記事や論説
- 流行りのドラマや映画
- 著名人の名言
- 健康情報
- 自分の趣味
- 季節の話題
- 自分の仕事のこと
- 社内の懸案事項
- 社内の成績

058例 朝礼でのスピーチ

スピーチする人
50代／女性

部課長の朝礼でのスピーチ①

はじめ　主題・エピソード　むすび

❶おはようございます。繁忙期に入ってひと月、みなさんの疲れがピークになっているころかと思います。

❷実は、先週、クライアントから2件のクレームがありました。2件ともわたしたち管理部が起こした発注ミスです。関係者からよくよく話を聞いてみると、うちの部だけがミスの原因ではなかったのですが、こういったクレームは会社の信用に直結します。ミスを防ぐためには、まずは発注する際のデータのチェックを慎重にお願いします。ただの数字だと思わず、発注理由等も含めて疑問があれば、関係者への確認を怠らないようにしましょう。部内でのダブルチェックも忘れずに。忙しいときこそ、確実に業務をこなしていくことが大切です。ひとたびミスが起これば、その大小にかかわらず、膨大な時間がその後始末にかかります。

❸では、いま一度気を引き締めて、業務に取り掛かってください。よろしくお願いします。

あいさつの構成

①朝のあいさつ
↓
②クライアントからのクレームの話
↓
③社員へのお願い

注意点

部内で起こしたトラブルについて、部全体で共有すべきものは朝礼などで話すとよい。部全体の責任について話し、個人攻撃にならないように注意する。

059例
朝礼でのスピーチ

スピーチする人
40代／男性

部課長の朝礼でのスピーチ②

はじめ　主題・エピソード　むすび

❶みなさん、おはようございます。今日は「健康」について話をします。

❷先月、バリバリの営業マンであるわたしの同級生が、ある病気で入院しました。見舞いに言って話を聞いたところ、どうも一年ほど前から胃のあたりに違和感があり、胃痛や胸焼けを感じていたそうです。病院に通っていたのか聞いたところ、病院には一度行ったきりで、後は市販の薬でごまかしごまかしていたらしいのです。年に一度の会社での健康診断も、何か理由をつけて受けていなかったそうです。その理由を尋ねると「忙しかったから」の一言。誰しもそうでしょうが、医者にかかるのはどうも気が進まない。市販の薬でおさまるなら大したことないはずだと、思い込みたい。しかし、結果、彼は手術をすることになり、1週間入院することになりました。

みなさん、自分の健康は自分で守るしかありません。忙しさを理由にしてみても、体の不調は治りません。**❸「体が資本」とは真実で、健康を失ってはじめて気がついても遅いのです。自分の体調管理、ぜひ注意してください。**

あいさつの構成

①朝のあいさつ
↓
②友人のエピソード
↓
③体調に気をつけるよう促す

ポイント

部下の体調管理も上司の仕事のうち。無理をしている部下がいるようなら朝礼で無理をしないように促し、自分の体調は自分で管理するよう伝える。

060例
朝礼でのスピーチ

スピーチする人
20代／女性

一般社員の朝礼でのスピーチ①

みなさん、おはようございます。**❶わたしは入社して半年、ようやく仕事に慣れてきたところですが、接客の仕事の楽しさ・難しさを感じる毎日です。**

❷先日、嬉しいことがありました。 来店されたお客様が少し足を引きずっているようにお見受けしたので、席に案内するときに「どちらの席がよろしいですか？」と伺いました。当店ではお一人様にはカウンター席をご案内するのがマニュアルになっていますが、午後の混んでいない時間帯でしたし、「カウンター席では座りづらいのではないか」と思ったからです。やはりその方はテーブル席をご希望されました。そしてお帰りのとき「気を遣ってくれてありがとう。また来ますね」と笑顔でおっしゃってくださいました。マニュアルはもちろん大事ですが、お客様一人ひとりに合ったサービスも心がけたいと思った出来事でした。

❸仕事にだいぶ慣れてきたとはいえ、まだまだ行き届かないところもあると思います。遠慮なくご指導ください。 よろしくお願いします。

ポイント

入社後まもない場合は、今の自分の仕事状況を話すとよい。周囲へ、今後の指導をお願いする。

あいさつの構成

①入社後の感想
↓
②仕事上のエピソード
↓
③周囲へのお願い

061例
朝礼でのスピーチ

スピーチする人
30代／男性

一般社員の朝礼でのスピーチ②

はじめ

❶おはようございます。一昨日テレビで見た、ある有名な「マナー講師」の女性を追ったドキュメンタリー番組の話です。

主題・エピソード

❷その人のマナー講座はたいそう厳しいことで有名で、以前にも、バラエティー番組でこの人が出ているのを見たことがあり、「絶対この人には教わりたくないなあ」と思っていました。番組の最初は、やはり会社の社内研修で参加者の女性が泣くシーンから始まりましたが、番組が進むにつれて、その人に対する印象が変わっていきました。仕事が終わって一人ホテルに帰ってからのシーンで、なぜ彼女がマナーにうるさいのか、どうして相手が泣くほどまで追い込むのか聞かれ、「社員は会社の顔である」「マナーに自信があれば自分に自信が持てる」というのを信条にマナー講師をやっているとのことでした。

むすび

❸その講師の言葉に、わたしはハッとしました。自分はそういうふうに思ったことがなかったからです。今後は、もっと会社の顔としての意識を高めていきたいと思いました。

あいさつの構成
①朝のあいさつ
↓
②講師のエピソード
↓
③今後の抱負

ビジネスの場での呼称
○自分側／●相手側
会社…○当社、わが社、弊社、小社／●御社、貴社
社長…○社長の△△／●御社の△△社長
上司…○上司の△△、部長の△△／●御社の△△様
店…○当店、当方／●貴店
銀行…○当行、本行／●貴行
官庁…○本省、当庁／●貴省、貴庁
学校…○当校、本校、弊校／●貴校、御校

062例 入社式でのあいさつ

スピーチする人 50代／男性

入社式での社長のあいさつ

はじめ　主題・エピソード　むすび

❶新入社員のみなさん、入社おめでとうございます。大変な就職戦線を闘い抜き、本日ここに集まられた精鋭のみなさんに、心からお祝い申し上げます。わが社としましては、このように多くの優秀な人材を迎えることができたことは大きな喜びです。

❷さて、みなさんもご存じのように、ＩＴ業界を取り巻く環境は年々厳しさを増しています。わが社は幸い、現在の業績は好調ではありますが、かならずしもそれが今後の成長を確約しているとは限りません。われわれの業界は、日々、生き残りを掛けた闘いを繰り広げています。今日のような晴れの日に、みなさんの前でこのような話をせざるを得ないくらい厳しい世界だということを肝に銘じてください。

これからみなさんの前には、想像していなかったさまざまな試練が立ちはだかることもあるでしょう。**❸しかし今日、この場に臨んだご自分の決意を忘れずに、何事にも懸命に立ち向かってください。大いに期待しています。**

あいさつの構成

①新入社員への祝辞
↓
②業界の状況説明
↓
③今後への期待

ポイント

社長として、新入社員に心を込めて歓迎の気持ちを伝える。

新入社員がこれから仕事にまい進できるよう、激励、鼓舞する。会社の状況によっては、多少厳しめのことを言って、気を引き締めさせることもある。

063例 入社式でのあいさつ

スピーチする人 20代／女性

入社式での新入社員のあいさつ

はじめ　主題・エピソード　むすび

わたくしは、管理部に配属となりました根室と申します。**❶本日はわたくしたち新入社員のために盛大な入社式を開いていただき、まことにありがとうございます。新入社員を代表し、心より御礼申し上げます。**

❷わたくしたち新入社員一同は、晴れてこの○○産業に入社できたことを心から光栄に思っております。わたくしは学生のころから、この○○産業の社章に憧れてきました。今、まさにその夢がかない、胸が高鳴っています。先ほど社長からたいへん温かい励ましとご指導の言葉をいただきましたが、とくに「会社のために働くのではない、自分の成長のために働くのだ」とのお言葉は胸に響きました。この社長のお言葉を胸に、日々努力し、成長していきたいと思います。

まだ右も左もわからない未熟なわたくしたちですが、一日でも早く仕事に慣れ、貢献できるよう精進いたします。**❸ご指導ご鞭撻のほど、どうぞよろしくお願い申し上げます。**

あいさつの構成

①入社式開催へのお礼
↓
②喜びの気持ち
↓
③指導鞭撻のお願い

ポイント
入社式を開いてもらったお礼を述べ、社長のお祝いの言葉について一言付け加える。

注意点
新入社員の代表として恥ずかしくないよう、姿勢よく、はっきりした口調で、はつらつとスピーチする。

064例
歓迎会での
あいさつ

スピーチする人
50代／男性

歓迎会での管理職のあいさつ

はじめ　主題・エピソード　むすび

❶新入社員のみなさん、入社おめでとうございます。わたしは課長の三枝です。今年は6名もの新たな戦力を迎えることができ、たいへん嬉しく思います。

❷新入社員のみなさんに言いたいのは、「失敗を恐れるな」ということです。いいえ、決して「失敗していいぞ」と言っているのではありませんよ。失敗を恐れるあまり、自分の意見を言わない、新しいことにチャレンジしない、では、人は決して成長しません。仕事をしていくうえで、何か思うことがあれば、あるいは何かチャレンジしたいことがあれば、何でもちゅうちょせず先輩に相談してください。まずは「相談してみる」。これがみなさんにお願いしたいことです。わたしたちはその「相談」をないがしろにはしません。みなさんの「相談」が、わが社をよりよい会社にし、これからのわが社を成長させてくれる、とわたしは思っています。

最初はすべてにおいて不安でしょう。その不安も相談してください。**❸みなさんが、新しい風を吹き込んでくれることを期待しています。**

ポイント
新入社員に期待することを話しつつ、歓迎の気持ちを伝える。

注意点
新入社員の緊張をほぐすように、難しい話は避け、やわらかい話し方をするとよい。

あいさつの構成
①お祝いの言葉
↓
②新入社員へのメッセージ
↓
③今後への期待

065例 歓迎会でのあいさつ

スピーチする人 20代／女性

歓迎会での先輩のあいさつ

はじめ

❶有吉くん、菅さん、ようこそ、わが総務部へ！ わたしは総務課の吉川と申します。

主題・エピソード

❷わたしは入社2年目で、課内ではまだまだひよっ子です。入社した当時を振り返りますと、振り返りたくない失敗談ばかりです。 ここにいる諸先輩方は、今では笑い話にしてくださいますが、当時は「なんでこんな子が入ってきたんだ？」と思われたことでしょう。にもかかわらず、先輩方がわたしを見捨てず、根気強くご指導くださったおかげで、今日は、ここに先輩面して立つことができているわけです。ですから、今度は、微力ではありますが、わたしが新人のお二人のお役に立ちたいと思っています。わからないことがあれば、何でも聞いてください。あ、パソコンのことはわたしではなく、横にいる渡部さんにお願いしますね。

むすび

❸これから新しい生活が始まります。最初は戸惑うことばかりでしょうが、頑張ってください！ 応援しています！

あいさつの構成

①歓迎の言葉
↓
②自分の入社当時のエピソード
↓
③今後への期待

ポイント

新入社員を心から歓迎し、先輩として手助けをする気持ちを伝える。

注意点

新入社員は緊張していることが多いので、緊張をほぐすようにやわらかく語りかけるように話す。

066例
歓迎会でのあいさつ

スピーチする人
20代／男性

歓迎会での新入社員のあいさつ

はじめ　主題・エピソード　むすび

❶本日は、わたくしたち新入社員のために歓迎会を開いていただき、ありがとうございます。わたくしは、富士花健太と申します。

❷わたくしは就職活動で面接の折、この会社に入って海外勤務をすることが夢だと申し上げました。それは、わたくしの恩師が、若いころの海外での経験が自分を成長させてくれたとおっしゃっていたからです。面接官でいらっしゃった方からは、海外勤務をするには本社で数年経験を積み、業績が認められることが必須だと教えていただきました。入社して2週間、先輩方の働いているお姿を拝見しながら、今の自分の至らなさばかりが目につき、目の前には高い壁が立ちふさがっているように感じています。しかし、その壁を一つずつクリアしていき、いつか海外勤務の夢をかなえるつもりです。そのために、まずは、一日もはやくみなさんの足手まといから卒業することを目標にしています。

❸何かとご迷惑をおかけすることがあると思いますが、ご指導ご鞭撻のほどよろしくお願い申し上げます。

あいさつの構成

①お礼と自己紹介
↓
②自分の夢
↓
③先輩方へのお願い

新入社員のNGワード

×僕、俺→わたし、わたくし
×〜っす→〜です
×〜っていうか→と申しますか、〜というより
×マジで、めっちゃ→ほんとうに、とても
×ぶっちゃけ→正直に申し上げますと
×やっぱし→やはり
×あざーっす！→ありがとうございます
×サーセン→申し訳ございません
×ヤバい→他の言葉にする
×へ〜→あいづちは「はい」

067例
送別会でのあいさつ

スピーチする人
40代／女性

転任者を送る上司のあいさつ

はじめ　主題・エピソード　むすび

❶みなさんもすでにご存じのとおり、このたび、高柳さんの仙台支店への転勤が決まりました。高柳さん、これまでほんとうにありがとうございました。

高柳さんは、入社以来5年間、営業一筋、成績はいつも1位、2位を争っています。**❷そんな高柳さんを、現在成績が落ち込んでいる仙台支社に送り出してほしいと上層部に告げられた日から、わたしは正直に言うと、ずいぶん悩みました。**高柳さんを送り出すことは、わが営業部にとっては相当な痛手です。低迷している支店への転勤ですし、東京出身の本人やご家族のことを考えると必ずしも喜ばしいことではないと思ったからです。でも彼は、家族とも相談したうえで、快く引き受けてくれました。「仙台支店のことは任せてください！」といつもの笑顔で、力強く言ってくれました。

❸高柳さん、あちらでも営業部のエースになってください。きっとあなたならやってくれると信じています。わたしたちはみんな、あなたのことを応援しています！

あいさつの構成
①転勤の紹介と転任者へのお礼
↓
②転勤の事情
↓
③はなむけの言葉

ポイント
転任する人のこれまでの労をねぎらい、転任先での活躍を祈る内容に。

注意点
転勤に伴う諸事情はあったとしても、しめっぽくならないよう、明るく送り出す。

068例
送別会でのあいさつ

スピーチする人
40代／男性

送別会で送られる転任者のあいさつ

はじめ　主題・エピソード　むすび

❶本日はお忙しい中、わたくしのために送別会を開いていただき、まことにありがとうございます。

このたび、本社へ異動することになりました。**❷振り返りますと、さまざまな思い出が蘇ってきます。よいときも悪いときもございました。**着任して3年目と6年目には営業成績が関西支部でトップになり、本社表彰を受けたときにはほんとうに嬉しかったです。ときには営業方針について、真剣に話し合った時期もありましたね。今となっては、すべてが懐かしい思い出です。みなさま、ありがとうございました。みなさまとは、10年という月日をともに過ごしてきましたので、若干の寂しさはございますが、新たな場所では心機一転、懸命に働いていく所存です。東京に来ることがあったら、必ず連絡をください。

❸最後になりましたが、当営業所のますますの発展と、みなさまのご健康、さらなるご活躍をお祈りし、わたくしのあいさつといたします。本日は、ありがとうございました。

あいさつの構成
①主催者へのお礼
↓
②仕事上のエピソード
↓
③結びの言葉

ポイント
これまでお世話になった同僚にお礼を述べ、転任先での決意を表明する。
思い出深い職場を去るので感慨深げに話し、職場、同僚の健康、活躍を祈る言葉で結ぶ。

069例
送別会での
あいさつ

スピーチする人
40代／男性

中途退職者を送る先輩社員のあいさつ

はじめ

このたび、高田さんが退職なさることになりました。**❶高田さん、長い間、ほんとうにお疲れさまでした。そして、お世話になりました。**わたしは、高田さんと長年、机を並べてきたので、高田さんから退職するという申し出があったときは、にわかには信じられませんでした。

主題・エピソード

❷高田さんは、来月、ご実家に帰られ、ご両親の経営するお店を継ぐのだそうです。高田さんのご両親は、地元のみなさんに愛される飲食店をやっていらっしゃいます。ご両親は、子どもが帰って来てくれる、しかも店を継いでくれるということで、たいそうお喜びでしょう。わたしたちからすると、大事な仲間がいなくなるので寂しいのですが、高田さんなら、ご両親の力になって、きっとお店を盛り立てていかれることと思います。

むすび

❸高田さん、ご実家とはいえ、新たな生活になじむのは大変かと思います。でも、ご両親のためにも頑張ってくださいね。出張でそちらに行くときは、必ず寄らせてもらいます。またお会いできる日を楽しみにしています。

あいさつの構成

①退職者へのねぎらいの言葉
↓
②退職者の今後について
↓
③結びの言葉

ポイント

退職者にねぎらいの言葉をかけ、応援している旨の言葉で結ぶ。

注意点

退職理由について、知らない人がいるようなら簡単に説明する。退職を惜しむことはあっても、余計な詮索や、退職を非難するような言葉は厳に慎む。

070例
送別会でのあいさつ

スピーチする人
30代／女性

中途退職者からのあいさつ

はじめ　主題・エピソード　むすび

本日はわたしのために送別会を開いていただき、ほんとうにありがとうございました。**❶このたび夫が海外勤務を命じられ、それに家族でついていくことにいたしました。急な退職になってしまい、ご迷惑をおかけしますこと、どうぞお許しください。**

❷入社以来、秋吉課長をはじめ、みなさまにはたいへんお世話になりました。新人だったころ、課長にはよく叱られました。今になってみれば、それは愛のムチであったことがわかります。おかげで、8年もの間、みなさまにご迷惑をかけながらも勤めることができました。夫の勤務先はカナダのバンクーバーです。都会ですが、とても自然豊かで住みよい環境のようです。もしみなさまがカナダにいらっしゃることがあれば、そのときは、わたしがいろいろと案内して差し上げたいと思っています。

最後になりましたが、**❸みなさま、これまでのご高配に心より感謝しています。ありがとうございました。どうぞこれからもお元気で。**

送別会の流れ

①開会の言葉 ← ②送る側のあいさつ ← ③乾杯 ← ④懇談・会食 ← ⑤花束・記念品の贈呈 ← ⑥退職者のあいさつ ← ⑦閉会の言葉

あいさつの構成

①退職理由とお詫び
↓
②お世話になったお礼
↓
③結びの言葉

071例
送別会でのあいさつ

スピーチする人
40代／男性

定年退職者を送る部下のあいさつ

はじめ　主題・エピソード　むすび

❶篠守部長、長い間お疲れさまでした。人事部を代表しまして、わたくし剣持から一言ごあいさつさせていただきます。

❷篠守部長は、わが社で知らぬ者はいない、「仏の篠守」として有名です。どんなときでも、慌てず騒がず、部下の失敗を前にしても笑顔で対処なさいます。わたくしが新入社員だったころ、恐れ多くも、「なぜいつも笑顔でいらっしゃれるのですか?」「部下にイライラすることはないのですか?」と伺いました。部長は「イライラした人に言われた言葉は、あなたの心に響きますか?」と一言おっしゃいました。なるほど、いくら正しいことであっても、相手が感情にまかせて言ったことを、人は素直に聞き入れることはできません。わたくしは、自分が感情的になりそうになると、いつもこの部長のお言葉を思い出すようにしています。

❸わたくしに「仏の篠守」を引き継ぐ技量はございませんが、今後も部長のお言葉を忘れずに頑張っていきます。ほんとうにお世話になりました。

ポイント
退職者が安心して辞めることができるよう、残った者はしっかり頑張っていく旨を伝える。

注意点
退職を惜しむ気持ちはありながらも、暗くならないよう、全体的には明るい雰囲気で話す。

あいさつの構成
①ねぎらいの言葉
↓
②退職者のエピソード
↓
③今後の抱負

072例 送別会でのあいさつ

スピーチする人 60代／女性

定年退職者からのあいさつ

はじめ　主題・エピソード　むすび

❶本日はお忙しい中、わたくしのためにこのような会を開いていただき、ありがとうございました。さきほどから部長やみなさまから温かいお言葉を頂戴し、このように送り出してもらえる幸せを感じています。

❷気がつけば、入社してから38年が経っていました。入社当初、会社の規模は今よりずっと小さく、場所も代々木にございました。駅から徒歩20分、毎日滑り込むようにして会社にたどり着いたのを覚えています。それから、西新宿、池袋と社屋を移転しながら、同時に規模も拡大していきました。バブル崩壊もありましたし、業界全体の業績悪化の波に飲まれて連鎖倒産もあるかもしれないという時期もありました。しかし、現会長、ならびに社長のリーダーシップのもと、社員が一丸となって闘ってきました。その一員でいられたことが、わたくしの人生において唯一誇れることかもしれません。

❸結びになりますが、今後の会社のますますのご隆盛とみなさまのご健康とご活躍をお祈りしております。本日は、ありがとうございました。

ポイント

会を開いてもらったことへのお礼を述べ、長年勤めてきたことへの自身の思いを語る。

最後に、会社の繁栄と社員の健康、活躍を祈る言葉で結ぶ。

注意点

「立つ鳥跡を濁さず」で、思い残すようなことがあってもスピーチは丸く収める。

あいさつの構成

①主催者へのお礼
↓
②会社員生活を振り返って
↓
③結びの言葉

073例
送別会でのあいさつ

スピーチする人
60代／男性

再雇用後の定年退職者からのあいさつ

はじめ　主題・エピソード　むすび

❶本日は、わたしのためにこのような会を催していただき、おいしい料理にみなさんの笑顔……とても嬉しかったです。

❷今日で5年間の再雇用期間が終了しました。5年前、社長に「あともう少しうちで働いてもらいたい」と言われたときは、わたしのような者でもまだ必要とされているのだと少し誇らしかったです。あれからわたしなりに一生懸命やってまいりましたので、今、心残りはまったくございません。多くの仲間が、これからの会社を担ってくれるので、安心して社を去ることができます。

実は5年前は、「今仕事をやめたら自分には何もない」と、第二の人生に不安を感じていましたが、その後、「料理」という趣味を見つけました。**❸料理はずっと妻に任せきりでしたが、このままでは愛想をつかされてしまうと、密かに料理教室に通ったのです。**お時間がございましたら、ぜひ一度、「ビストロ〇〇」の料理を召し上がりにわが家へお越しください。存分に腕を振るいたいと思います。みなさん、お世話になりました。ありがとうございました。

あいさつの構成

①主催者へのお礼
↓
②再雇用期間を振り返っての感想
↓
③今後の生活について

ポイント

会社員生活や5年間の再雇用期間を振り返り、お世話になったお礼を伝える。今後の人生について、やりたいことや目標など、前向きな話をするのもよい。

074例
就任を祝うあいさつ

スピーチする人
40代／男性

部長就任を祝う部下からのあいさつ

はじめ

❶片桐部長、営業部長就任おめでとうございます。東海支部営業部を代表して、わたくし江藤からお祝いを申し上げます。

主題・エピソード

❷片桐部長が北陸支部から異動していらっしゃると聞いてから、わたくしたち東海支部社員一同、心よりお待ちしておりました。片桐部長、当時は課長でいらっしゃいましたが、わが社の営業部門のトップの成績を何度もおとりになっていらっしゃるという話を以前から耳にしており、実際にお目にかかってそのノウハウを残らず伺いたいと強く願っていました。それが、このたびわが東海支部に部長として就任されることになり、わたくしの願いがかなう日が来て、このうえなく嬉しく思っています。

わが東海支部は、現在、たいへん苦戦を強いられていることはすでにご存じかと思います。**❸ぜひ部長の手腕を発揮され、われわれを成績トップにお導きください。もちろん、そのために、わたくしたち社員一同、誠心誠意、これまで以上に精進してまいります。なにとぞよろしくお願いいたします。**

むすび

あいさつの構成

①就任を祝う言葉
↓
②歓迎の気持ちを表明
↓
③新部長へのお願い

ポイント

新しく着任する上司に対して、歓迎の気持ちと上司への期待を伝える。
また、ともに努力していくことを伝え、今後の指導鞭撻をお願いする。

075例
就任を祝うあいさつ

スピーチする人
50代／男性

本人からの部長就任のあいさつ

はじめ

❶このたび、営業部長を拝命いたしました紺野です。退職された南田前部長の跡を引き継ぎ、重責を担うことになりました。ここで一言ごあいさつさせていただきます。

主題・エピソード

南田前部長は仕事の手腕はもちろんのこと、そのお人柄の素晴らしさは、部下であったわたくしが一番存じております。**❷そのため、部長に就任することになったとき、わたくしで務まるのかと不安を抱きました。**しかし、誰しも最初からすべてのことをうまくやろうとすること自体間違っています。目の前の仕事を一つひとつ積み上げていき、そう遠くない時期にみなさんに及第点をもらえるよう、全力で努めてまいります。

むすび

❸わたくしから、みなさんにお願いしたいことが二つあります。一つは「コミュニケーション」を大切にすること、もう一つは「チームワーク」で仕事に当たることです。仕事は一人ではできませんし、一人でやるものでもありません。営業部で一致団結して、頑張っていきましょう！　よろしくお願いします。

あいさつの構成
①自己紹介
↓
②就任にあたっての気持ち
↓
③部下へのお願い

ポイント
前任者を立てつつ、就任しての決意・抱負などを述べる。
最後に、部下に協力を求める言葉で結ぶ。

注意点
着任早々の強すぎる叱咤は、第一印象としてよくない。協力を求めるなら、簡潔に「お願いしたいことが二つあります」などと言うと心に残りやすい。

076例
就任を祝うあいさつ

スピーチする人
30代／女性

本人からの課長就任のあいさつ

はじめ　主題・エピソード　むすび

❶このたび経理部課長を命じられました、鳥海羽留子です。入社以来10年、ずっとこの部署におりましたが、わたしが課長に任命されるなどとは夢にも思っていませんでした。

❷わたしは、この仕事が好きです。経理の仕事は、地味ですし、きちんとやって当たり前、特に褒められることもない業務ですよね。でも、わたしたちの仕事が、会社を支えていることに間違いはありません。これまで通り、地道に、みなさんと一緒に働いていきますので、よろしくお願いします。

私事で恐縮ですが、わたしは家庭をもっており子どもが一人おります。そのため、ときに仕事に支障をきたすことが出てくるかもしれません。そのことをよく思われない方もいるかもしれません。**❸しかし、わたしたちの会社は、全社をあげて、女性も働きやすい会社を目指しています。男女を問わず、仕事も家庭も大事にできるような環境づくりをみなさんと考えていきたいと思っています。**どうぞご協力のほど、よろしくお願いいたします。

あいさつの構成
①自己紹介
↓
②仕事に対する思い
↓
③職場環境についての考え

社会人が使うべき言葉

×わかりました、了解しました→〇かしこまりました、承知いたしました
×すみません、ごめんなさい→〇申し訳ございません
×ご苦労さまです→〇お疲れさまです
×すみませんが…→〇恐れ入りますが…
×無理です、できません…→〇申し訳ございませんが、できかねます

077例
新年のあいさつ

スピーチする人
50代／男性

新年の社長のあいさつ

はじめ／主題・エピソード／むすび

❶謹んで新年のごあいさつを申し上げます。今年もこうしてみなさんと新しい年を迎えられましたことを嬉しく思います。

❷昨年を振り返りますと、前半はあまり芳しくなかったですが、夏を過ぎたころから徐々によい成果が表れてきています。これは、前半の売上に関して状況分析を正しく行い、後半はその修正に全社をあげて取り組んだ賜物です。仕事は生き物です。自分たちが正しい道を進んでいるつもりでも、社会情勢や消費者動向などによって、その道はいかようにも変化していきます。今後も常に社会情勢等を注視するとともに、あらたな企業展開を図っていきたいと考えています。

後半の持ち直しは、みなさん一人ひとりが努力してくれたおかげです。**❸これからこの勢いを継続し、今年度の目標達成に向けて社員一同、ますます頑張っていきましょう。**今年一年の、みなさんの大いなる活躍を期待して、新年のあいさつといたします。

あいさつの構成
①新年のあいさつ
↓
②昨年の振り返り
↓
③今年の抱負

ポイント
なごやかな雰囲気で、新年を祝うあいさつから始める。
昨年を振り返ると同時に、今年の抱負を述べる。

注意点
社員の意気を上げるように、明るい活気のある声で話す。

078例
社内慰労会でのあいさつ

スピーチする人
30代／女性

新年会での幹事のあいさつ

はじめ

❶みなさま、謹んで年頭のごあいさつを申し上げます。わたくしは本日の進行を務めます、総務部の安川です。今年も、このようにみなさまと顔を合わせることができて何よりです。

主題・エピソード

❷では、ただ今より、恒例の新年会を始めたいと思います。まずは社長よりごあいさつをお願いいたします。（社長のあいさつ）浦田社長、ありがとうございました。ただいまの社長のお話にありましたとおり、今年も業績アップのために社員一丸となって頑張りましょう。そのためには、まずは社員の親睦を深めることが大事ですね。今日のこの場を利用して、みなさまで親睦を深めていただきたいと思います。今日の料理はなんと、フランス料理です。お酒は各自で自由に頼んでいただいて結構です。

むすび

❸それでは、ここで乾杯を行いたいと思います。みなさま、グラスのご用意はよろしいでしょうか？　それでは川辺専務より、乾杯のご発声をお願いいたします。

あいさつの構成

①新年のあいさつと自己紹介
↓
②新年会の開始の言葉
↓
③乾杯の発声を依頼

社会人が使うべき尊敬語

・相手がすることに対して使う
する→なさる、される
言う→おっしゃる、言われる
見る→ご覧になる
聞く→お聞きになる
来る→いらっしゃる、お見えになる、おいでになる
読む→お読みになる
知っている→ご存じだ
食べる→召し上がる
会う→お会いになる、会われる

079例
社内慰労会でのあいさつ

スピーチする人
50代／男性

忘年会での管理職のあいさつ

はじめ　主題・エピソード　むすび

❶みなさん、今年一年、ほんとうにお疲れさまでした。みなさんの働きのおかげで、無事に一年を乗り切ることができました。

❷今年を振り返りますと、前半は営業部内で組織変更があって、なにかと慌ただしい日々でしたね。会社の生産性をアップするための組織変更でしたが、この半年足らずで、その成果が目に見えて出てきており、なんと前年比15%アップを達成しています！　これはひとえにみなさんの努力の賜物です。ありがとうございます。また、わたしたち社員が働きやすい環境をつくりたいという社長のお考えも、この組織変更に組み込まれていたわけですが、どうですか？　みなさん。以前と比べて、働きやすくなったと実感しているかと思います。「最も強い者が生き残るのではなく、最も賢い者が生き残るのでもない。唯一生き残るのは、変化する者である」という言葉もあります。何事にも柔軟に対応しながら、来年も生き残っていきましょう！

❸では、今日は存分に楽しんで、今年一年の疲れを洗い流しましょう。

ポイント
一年を振り返りながら、部下の労をねぎらう。

注意点
あまり堅苦しいあいさつはせず、明るい調子でくつろげる雰囲気を出す。

あいさつの構成
①ねぎらいの言葉
↓
②一年を振り返っての感想
↓
③結びの言葉

080例
社内慰労会でのあいさつ

スピーチする人
30代／男性

社員旅行での幹事のあいさつ

はじめ　主題・エピソード　むすび

みなさん、おはようございます。**❶今回の旅行の幹事を務めますのは、営業部の青木と瀬川です。旅行中、何かございましたら、わたしたちにご連絡・ご相談ください。**

❷今日の目的地・◯◯温泉までは、ここに停まっているバスで約3時間ほどです。途中、景色のよい渓谷に寄りながら、宿に向かいます。◯◯サービスエリアで、最初のトイレ休憩をしますが、休憩の際はできるだけ近くの人と移動し、くれぐれも集合時間を守ってください。なお、道中のご飲食は自由ですが、お酒類はご遠慮ください。宿には16時ごろ到着の予定です。今回泊まる宿は、そのあたりでも有名なとてもよいお湯の温泉宿だそうですので、ぜひゆっくり楽しんでください。18時半からは、大広間で恒例の宴会を行います。お時間になりましたら、各自で集合をお願いします。

では、11時に出発しますので、ご順にバスにご乗車ください。**❸今回の旅行、事故などのないよう注意して、みんなで心ゆくまで楽しみましょう。**

ポイント
旅行の1日目の大まかなスケジュールを伝え、事故のないよう呼びかける。

注意点
全員が楽しめるよう配慮しつつ、明るく楽しい雰囲気であいさつする。

あいさつの構成
①自己紹介
↓
②本日の予定と注意事項
↓
③結びの言葉

081例
社員表彰式でのあいさつ

スピーチする人
60代／男性

社員表彰式での社長のあいさつ

はじめ　主題・エピソード　むすび

本年度の優良店舗を表彰するにあたり、一言ごあいさついたします。昨今の業界全体の景気低迷のさなかにあっても、わが社は全社員の懸命な働きに支えられて好成績を収めています。**❶日ごろからのみなさまの努力に、心より感謝いたします。**

❷今年度の優良店舗に選ばれた、横浜店と豊橋店におかれましては、まことにおめでとうございます。横浜店は営業時間の延長に踏み切り、それが帰宅途中の集客に繋がり、前年比20％増の売上高を達成しました。豊橋店では、社員教育に力を入れ、顧客サービスの向上に繋がりました。とくに、アルバイトを含めた全従業員に研修を行うなどして、顧客を大事にする店としてSNSで話題になったことが評価されました。どちらもわが社の「顧客ファースト」の理念を追求した結果です。

❸横浜店と豊橋店の功績に敬意を表すとともに、今後、ますますの発展を期待しています。本日はおめでとうございます。

ポイント
表彰の対象となった店舗へのお祝いの言葉を述べる。表彰にあたって評価されたポイントを具体的に挙げ、他店舗へもよい影響を与えるように話す。

注意点
優良店舗の表彰であっても、他店舗の従業員への感謝も述べる。

あいさつの構成
①全社員への感謝
↓
②表彰店への祝辞
↓
③今後への期待

082例
創立記念式典でのあいさつ

スピーチする人
60代／女性

創立記念式典での社長のあいさつ

はじめ　主題・エピソード　むすび

❶本日はお足元の悪い中、わたくしども○○書房の創立30周年記念式典にご臨席たまわり、まことにありがとうございます。

❷弊社は30年前、先代の父・勘三郎が従業員3名で始めました。当時は、店舗が吉祥寺駅近くの古いビルの1階にあり、決して人通りの多い場所ではありませんでしたが、堅実に商いをしてまいりました。その父が15年前に倒れ、わたくしが店を引き継ぎましたが、ともにこの店を支えてくれたのが娘の、勘三郎の孫の日向子です。子どものころから本が好きで、祖父がはじめた店を愛していました。わたくしも、都度迷いながらも、ここにご臨席の方々や従業員のみなさまに支えられ、今日まで会社を続けることができました。これまでのご厚意に、心よりお礼申し上げます。

近年、業界全体が縮小しているのは周知の事実ですが、弊社は、中央線沿線に3店舗展開しております。**❸大切な本をみなさまに届けるという使命に変わりはございません。今後ともご支援のほど、よろしくお願い申し上げます。**

ポイント

列席者へ、これまでの厚意に感謝の意を伝え、今後も変わらぬ支援をお願いする。

創立時の様子から、現在までの変遷を簡潔に紹介する。

あいさつの構成

①列席者へのお礼
↓
②会社の変遷
↓
③周囲へのお願い

083例
支店・営業所開設披露でのあいさつ

スピーチする人
40代／男性

支店・営業所開設披露での支店長のあいさつ

はじめ　主題・エピソード　むすび

❶本日は、福岡支店の開設披露の会に足をお運びくださり、まことにありがとうございます。わたくしはこのたび支店長に着任しました神崎と申します。以後、お見知り置きくださいますようお願いいたします。

❷わたくしどもファーストMS通販は、これまで関西地区を中心にアパレル通販を行ってまいりましたが、来年から全国展開していくこととなり、この九州地区では福岡支店を開設することになりました。わたくしの前任地は神戸ですが、実はわたくしは福岡出身で、高校生まで天神あたりをウロウロしておりました。懐かしいこの地で新たな営業所を開設し、さらに支店長を務めることとなり、緊張と期待で胸がいっぱいです。

❸おかげさまで弊社の業績は好調です。この福岡支店を拠点として、ここ九州で積極的に事業を展開していく所存です。本日お集まりくださったみなさま、新参者のわたくしたちに、どうぞご指導ご鞭撻のほどよろしくお願い申し上げます。本日はありがとうございます。

あいさつの構成

①列席者へのお礼と自己紹介
↓
②事業の見通し
↓
③今後の抱負

社会人が使うべき謙譲語

・自分がすることに対して使う
する→いたす、させていただく
言う→申す、申し上げる
見る→拝見する
聞く→うかがう、拝聴する
行く→うかがう、まいる
読む→拝読する
知る→存じ上げる、承知する
食べる→いただく
会う→お目にかかる

084例 招待会でのあいさつ

スピーチする人 50代／男性

ゴルフコンペでの来賓のあいさつ

はじめ

❶本日は、このようなすばらしいイベントにご招待いただきましてありがとうございます。天候にも恵まれ、一緒に回ってくださった方々と楽しいひとときを過ごすことができ、久しぶりに仕事を忘れることができました。

主題・エピソード

❷今日は、わたしのこれまでのゴルフ歴で一番といっていい最高の出来でした。いつものゴルフ仲間に話をしても、きっと信じてもらえないと思います。加えて、このようにすばらしい賞品まで頂戴して……よろしいのでしょうか？実は、これ、妻が以前から欲しいと言っていたものなのです。いつもはよくてブービー賞で、家にはゴルフボールが溜まっておりますため、今日も出がけには「ゴルフボールお願いね！」と皮肉を言われて出てまいりました。ですので、今日はこれを見た妻の顔を楽しみに帰ります。

むすび

❸本日は、主催の株式会社トリヤマバシのみなさまをはじめ、参加者のみなさまにはたいへんお世話になりました。株式会社トリヤマバシ様のますますのご発展を心よりお祈りいたします。ありがとうございました。

あいさつの構成

①主催者へのお礼
↓
②今日の感想
↓
③結びの言葉

ポイント

主催者に感謝を述べ、存分に楽しんだと感想を伝える。

コンペ主催の会社に対して、今後の発展を祈る言葉で結ぶ。

注意点

招待されたゴルフコンペはビジネスがらみであっても、仕事を離れて楽しむための場なので、仕事の話はNG。

ゴルフの腕に自信があっても、それをひけらかすようなスピーチは慎む。

コラム

ビジネスの場で使えるワンフレーズの〝決め言葉〟

ビジネスの場での過不足のないあいさつ・スピーチは、さまざまな場面で求められます。社会人としての品位が求められる場なので、定型となるようなフレーズを入れると聞き手にきちんとした印象を与えることができます。

● 会議にふさわしいフレーズ

定刻になりましたので、会議を始めます。お手元の資料をご覧ください。

本日はお忙しいところお集まりいただき、ありがとうございます。ただいまより会議を始めます。

本日の会議は、10時から○○○○、12時から1時間の昼食休憩を挟んで、13時から○○○を行います。本日の会議の終了予定時刻は15時です。

みなさまより活発なご意見をいただき、たいへん有意義な会議となりました。

次回の会議は、来月15日の午前10時からを予定しています。本日はお疲れさまでした。

● 朝礼にふさわしいフレーズ

みなさん、おはようございます。今朝のニュースで見たのですが……

わたくしの今週の目標は○○○○です。目標達成のために全力で頑張ります。

今週は忙しい一週間になります。気を引き締めてまいりましょう。

一致団結して、この状況を乗り越えていきましょう。

今日も一日、頑張りましょう。よろしくお願いします。

●入社式にふさわしいフレーズ

新入社員のみなさん、入社おめでとうございます。

本日ここにご出席の新入社員のみなさんに、心からお祝い申し上げます。

みなさんの入社を、社員一同、心より歓迎いたします。

わたしたち新入社員のために、このように立派な入社式を執り行っていただき感謝申し上げます。

一日も早く仕事を覚えて、一人前として認められるよう努力します。

簡単ではありますが、感謝と決意の言葉とさせていただきます。

●歓迎会にふさわしいフレーズ

それでは、これより○○○○さんの歓迎会を始めます。

○○さんがうちの課に来てくださって、とても嬉しいです。

今日は心ゆくまで楽しんでください。

今日を機会に、大いに親睦を深めてください。

今日はわたくしのために、このような席を設けていただき感激です。

これから頑張っていきますので、ご指導ご鞭撻のほどよろしくお願いいたします。

●送別会にふさわしいフレーズ

みなさまのご多幸とご発展を祈念して、わたくしのあいさつとさせていただきます。本日はありがとうございました。

○○さんの前途を祝し、乾杯いたしましょう。

○○さんが退職されるのはとてもさびしいですが、これからも応援しています。

新しい地でのご活躍を、心からお祈りしています。

今のわたくしがあるのも、先輩方が鍛えてくださったおかげです。

新しい職場での仕事に正直不安もありますが、今は期待のほうが大きいです。

みなさまからのこれまでのご厚意を忘れず、精一杯頑張っていきます。

○○さん、長い間お世話になりまして、ほんとうにありがとうございました。

第6章

学校行事でのあいさつ・スピーチ

085例
幼稚園・保育園行事のあいさつ

スピーチする人
30代／女性

幼稚園・保育園入園式での来賓のあいさつ

はじめ

❶なかよし元気幼稚園の新しい園児のみなさん、ご入園おめでとうございます。今日はみなさんの元気なお顔が見られて、とても嬉しいです。みなさんが入園されるのをとても楽しみにしていました。今日からみなさんは、このなかよし元気幼稚園で、絵本を読んだり、お歌を歌ったり、砂遊びをしたり、おいしい給食を食べたりして、お友だちや先生方と毎日楽しく過ごしてください。

主題・エピソード

❷保護者のみなさま、お子さまのご入園、まことにおめでとうございます。わたくしは、園の保護者会会長の高見岡世津子と申します。２年前に入園した娘の陽菜は入園式こそ緊張した面持ちでしたが、先生方に温かく迎えていただいてすぐに園に慣れました。今では毎日、登園するのが待ち遠しい様子で笑顔で通っています。保護者のみなさまにはご心配もおありかと思いますが、安心してお子さまを通わせていただければと思います。

むすび

❸なかよし元気幼稚園の同じ保護者として、これからどうぞよろしくお願いいたします。本日は、まことにおめでとうございます。

ポイント
入園児に対しては、子どもたちがわかる、やさしい言葉で話し、歓迎の気持ちを伝える。
保護者に対しては、自らの経験など、同じ保護者として共感できるエピソードを交えて話す。

注意点
祝辞に目を落として読み上げるのではなく、子どもたちや保護者のほうに体を向けて、顔を見て話すようにする。

あいさつの構成
①園児へのお祝いの言葉
↓
②保護者へのお祝いの言葉
↓
③結びの言葉

086例
幼稚園・保育園行事のあいさつ

スピーチする人
30代／女性

幼稚園・保育園入園式での保護者代表のあいさつ

はじめ　主題・エピソード　むすび

みなさま、おはようございます。わたくしは今日からお世話になる○○組の野山速雄の母親の千恵子と申します。**❶本日は、16名の新しい入園児のために、このように温かい入園式を開いてくださり、まことにありがとうございます。**

❷息子の速雄は一人っ子のため、保育園に入ったら一緒に遊ぶお友だちがたくさんできる、と今日の日を指折り数えて来ました。今朝などは、5時に一人で起きて出かける準備を始め、入園式は10時から始まるにもかかわらず「ほいくえんまだ？」と、何度も催促されました。ですので、きっともうすぐ眠くなってしまうでしょう。わたくしは親としての経験が浅く、子育てにおいては日々迷うことばかりなので、経験豊富な先生方の助けを借りられればこんなに心強いことはございません。

❸田野中房子園長先生をはじめ先生方には、子どもたちの卒園まで温かく見守っていただきたく、どうぞよろしくお願いいたします。一緒にお世話になるお子さんたちや保護者のみなさまも、よろしくお願いいたします。

あいさつの構成

①入園式開催へのお礼
↓
②子どもの様子
↓
③保育園へのお願い

幼稚園・保育園の特徴

・幼稚園の特徴

幼稚園は文部科学省の所管。小中学校と同じ「学校」に位置付けられ、「遊び」を中心とした活動を行う。3歳から小学校入学前までの子どもが通う。

・保育園の特徴

保育園は厚生労働省の所管。保護者が仕事をしているなどの理由で保育を必要とする乳幼児期の子どもが過ごす「生活の場」である。0歳から小学校入学前までの子どもを受け入れている。

087例
幼稚園・保育園行事のあいさつ

スピーチする人
30代／女性

運動会での保護者代表のあいさつ

はじめ　主題・エピソード　むすび

みなさま、おはようございます。わたくしは緑ヶ丘笑顔幼稚園の保護者代表の畑上優美子と申します。**❶今日はみんなが楽しみにしていた運動会です。さわやかな秋晴れのもとで運動会が行われることをたいへん嬉しく思います。**

❷園児のみなさん、これまで練習してきたことをお父さん、お母さん、おじいちゃん、おばあちゃんたち、みんなに見せてあげてください。みなさんの一生懸命な姿が見られることを、楽しみにしています。保護者・関係者のみなさまには、お子さんやお孫さんたちが活躍する姿をしっかりと目に焼き付けて、応援してあげてください。さくら組の子どもたちは幼稚園生活の集大成として、太鼓の演奏や竹馬ステップの演技などを披露してくれます。つぼみ組やすみれ組の園児たちのかわいいダンスなど、見どころいっぱいです。なお、お子さんの活躍する姿のビデオ撮影は、どうぞ譲り合ってお願いいたします。

❸村田敬以子園長をはじめ先生方には準備からお世話になり、ありがとうございます。今日一日がみなさまのいい思い出となるよう願っています。

あいさつの構成

①保護者会長としての感想
↓
②園児への激励
↓
③園長や先生へのお礼

ポイント

運動会開催のお祝いとともに、園児を応援する気持ちを伝える。

準備から当日の運営までを担当する園長はじめ先生方への感謝を伝える。

注意点

保護者に向けて、子どもの成長の機会を見届けることと熱心な応援を呼びかけるとともに、応援マナーなどについて注意を促したい。

088例
幼稚園・保育園
行事のあいさつ

スピーチする人
40代／女性

お楽しみ会での保護者代表のあいさつ

はじめ

❶みなさん、こんにちは。チューリップ組の山野えみの母親で保護者代表の山野ヒロノと申します。今日はみなさんが心待ちにしていた、ビワの木のびのび幼稚園のお楽しみ会です。一日楽しく過ごしましょうね。

主題・エピソード

ビワの木のびのび幼稚園のお楽しみ会は、園長先生をはじめ先生方が毎年工夫を凝らしたゲームや出し物を見せてくださいます。**❷これまで準備を進めてきてくださった先生方や有志の保護者のみなさん、ほんとうにありがとうございます。**今日は、全員参加のゲームから始まって、たんぽぽ組、すみれ組、チューリップ組の先生方によるクイズや手品、パネルシアターなどの出し物もあるそうです。そして、最後には保護者の方が絵本の読み聞かせもしてくださいます。今日のお楽しみ会では、みんなでお菓子を食べる時間もあるそうですよ。何のお菓子かな？　楽しみですね！

むすび

❸保護者のみなさまも、子どもたちと一緒に今日一日楽しみましょう。先生方、本日はどうぞよろしくお願いいたします。

あいさつの構成

①自己紹介
↓
②準備・運営に対するお礼
↓
③結びの言葉

ポイント

園児たちに、お楽しみ会の内容を簡潔に話す。お楽しみ会を準備してくれた先生方や役員などにお礼の気持ちを伝える。

注意点

元気で明るいトーンで話し、子どもも保護者も一緒に楽しめるような雰囲気を作る。

プログラムの内容を紹介する際には、ネタバレにならないよう概要を伝え、期待を持たせる案内ができるとよい。

089例
幼稚園・保育園行事のあいさつ

スピーチする人
40代／女性

卒園式での保護者代表のあいさつ

はじめ　主題・エピソード　むすび

みなさま、おはようございます。わたくしは○○組の内野山千穂の母親の綾子と申します。❶**本日は、○○保育園を巣立つ16名の子どもたちのために心のこもった卒園式を開いてくださり、ありがとうございます。**

❷**瑞守由美子園長先生をはじめ先生方には、子どもたちがたいへんお世話になりました。ほんとうにありがとうございました。**千穂は保育園が大好きで、将来の夢は「保育園の先生」と言っています。理由は「赤ちゃんをトントンできるから」だそうです。先生方が日々子どもたちに優しく接してくださっている様子を子どもはよく見ているのだなあと思います。娘と一緒だったひかり組のお友だちや保護者のみなさまにも、心から感謝しています。豊かな保育園時代を送り、無事に小学生になるときを迎えることができて感無量です。

❸**園長先生をはじめ先生方には、これからも折に触れて子どもたちを見守っていただければ幸いです。○○保育園を卒園して小学生になるみなさんのこれからの成長を楽しみにしています。ありがとうございました。**

ポイント

卒園式を開いてくれたことへのお礼、これまでお世話になった先生方へのお礼を伝える。

卒園する子どもたちへのお祝いや、保護者・関係者への感謝の気持ちも伝え、長い保育園生活を終える親としての率直な気持ちを述べる。

あいさつの構成

①卒園式開催へのお礼
↓
②先生方へのお礼
↓
③結びの言葉

スピーチする人
50代／男性

小学校入学式での来賓のあいさつ

はじめ　主題・エピソード　むすび

❶ただいまご紹介いただきましたカエデ林小学校運営協議会委員の高元直人と申します。入学式にあたり、お祝いのあいさつを申し上げます。

❷新入生のみなさん、ご入学おめでとうございます。入学にあたり、みなさんに一つお願いがあります。それは、「命を大切にしましょう」というお願いです。命を大切にするということは、どういうことだと思いますか？　それは、みなさんのお父さんやお母さん、おじいちゃんやおばあちゃん、きょうだいやお友だち、すべての人を大切にすることです。そしてみなさん一人ひとり、自分自身を大切にすることでもあります。命を大切にして、楽しい小学校生活を送ってください。**❷新入生の保護者のみなさま、お子さまのご入学、まことにおめでとうございます。**カエデ林小学校を支える一員として、これからの6年間、みなさまとともにお子さまの成長を見守り、応援していきたいと思います。

❸新入生の健やかな成長と、ご出席のみなさまのご多幸をお祈りして結びといたします。本日は、まことにおめでとうございます。

あいさつの構成

①自己紹介
↓
②新入生・保護者へのお願い・お祝い
↓
③結びの言葉

ポイント
新入生に入学のお祝いの言葉を伝える。保護者・関係者へもお祝いの言葉を盛り込む。

注意点
伝えたい内容を一つにしぼり、「給食はできるだけ残さず食べましょう」、「国語や算数など、勉強を頑張りましょう」、「たくさんのお友だちを作りましょう」など、一番伝えたいことについて具体的に話をするとよい。

091例 小学校での行事のあいさつ

スピーチする人 40代／女性

小学校入学式でのPTA会長のあいさつ

はじめ

❶わたくしは北山里小学校のPTA会長の墨川美里と申します。1年生のみなさん、ご入学おめでとうございます。みなさんがこの北山里小学校に入学してくれたことをとても嬉しく思います。小学校では、お勉強はもちろん遠足や運動会など、たくさんの楽しいことが待っています。先生やお友だちと一緒に、たくましく成長していってください。

主題・エピソード

❷保護者のみなさま、お子さまのご入学おめでとうございます。小学校は、お子さまが大きく成長する6年間です。入学当初は赤ちゃんのころと同じように「肌を離さず」、あるいは「手を離さず」に育てることが必要ですが、学年が進めば「目を離さず」に育てることも難しくなっていきます。お子さまは自ら成長して、親の目を離れて自分自身の世界を築いていくことになるでしょう。けれども、いつまでも「心を離さず」にいていただきたいと思います。

むすび

❸わたくしも微力ながら、みなさまとともにお子さまの成長を見守り、支えていきたいと思います。本日は、まことにおめでとうございます。

ポイント

期待と不安をもって小学校に入学してきた1年生のこれからの成長を願う言葉を贈る。

保護者に対しては、同じ小学生の子どもを持つ保護者として協力し合う姿勢で話すことが大事。

注意点

PTA会長という立場を意識しすぎてPTA活動への協力を過度に呼びかけるのは、入学式のあいさつでは控えるほうがよい。

あいさつの構成

①自己紹介と新入生へのお祝いの言葉
↓
②保護者へのお祝いの言葉
↓
③会長としての思い

092例
小学校での行事のあいさつ

スピーチする人
40代／男性

小学校卒業式でのPTA会長のあいさつ

はじめ　主題・エピソード　むすび

❶卒業生のみなさん、ご卒業おめでとうございます。わたくしは上坂第七小学校のPTA会長の杉原敏三と申します。

みなさんの小学校生活を拝見していて、わたくしの印象に深く残っているのは、通学班での登校の様子です。ある子は、班長になった日からそれまでとは別人のようにしっかりしました。4月には、迎えた1年生を気にしてあげる、ひと回り成長したみなさんの姿が見られました。**❷卒業生のみなさんは4月から中学生になります。中学校という新しい世界に不安を感じているかもしれませんが、みなさんの傍らには、みなさんを支えてくれる家族や友人がいます。そのことを忘れず、新しいことに挑戦する勇気を持ち続けて頑張ってください。**これからもずっとみなさんを応援しています。

❸保護者のみなさま、お子さまのご卒業、まことにおめでとうございます。中学校の3年間も、これまで同様、お子さまの成長を支えていただきたいと思います。よろしくお願いいたします。

小学校でのあいさつの機会

小学校では、主に次のようなあいさつ・スピーチの機会がある。

- 入学式
- 学級懇談会
- 学年懇談会、学年行事
- 運動会
- 音楽会
- PTAや保護者会などの総会
- PTAや保護者会などの各種会議や行事

あいさつの構成

①お祝いの言葉と自己紹介
↓
②卒業生への期待
↓
③保護者へのお祝いの言葉

093例
中学校での行事のあいさつ

スピーチする人
40代／女性

中学校入学式でのPTA会長のあいさつ

はじめ　主題・エピソード　むすび

❶ただ今ご紹介いただきました、わたくしは追風中学校PTA会長の村内真希と申します。

❷新入生のみなさん、ご入学おめでとうございます。みなさんは中学校の3年間を「3年しかない」と思いますか？　それとも「3年もある」と思いますか？　中学で本格的に学ぶ教科に、英語があります。みなさんが、例えば1日に5つの単語の意味や使い方を覚えると、3年間で5000を超える単語を身につけることができます。中学と高校で学習する英単語はおよそ4000語ともいわれています。つまり、中学校3年間の過ごし方によっては、中学・高校6年分もの単語を身につけることもできます。このように1日1日を大切にして、充実した中学校生活を積み重ねていってください。

❸新入生の保護者のみなさま、お子さまのご入学、まことにおめでとうございます。中学校の3年間は、大人の世界の入り口に立つための期間です。わたくしたちPTAも、ともにお子さまの成長を見守っていきましょう。

あいさつの構成
①自己紹介
↓
②新入生への祝辞
↓
③保護者へのお祝いの言葉

ポイント
小学校を卒業して、あらたな中学校生活に臨む新入生を祝い、期待することを述べる。

注意点
上から目線であいさつするのはNG。保護者に対しては、同じ中学生の保護者という視点から、保護者への共感を伝えたい。

094例
中学校での行事のあいさつ

スピーチする人
40代／男性

中学校体育祭でのＰＴＡ会長のあいさつ

はじめ

❶みなさん、おはようございます。ＰＴＡ会長の若田原浩司と申します。本日は待ちに待った竹花第三中学校の体育祭です。開会式にあたり、一言ごあいさついたします。

主題・エピソード

竹花第三中の生徒のみなさん、今の気持ちはいかがですか？　朝礼台の上からは、みなさんのやる気に満ちた意気込みが伝わってきます。緊張している人もいるかもしれませんが、ゆっくり呼吸をして気持ちを整え、練習の成果を発揮してください。**❷昨年行われた体育祭では、競技や演技をやり切って、開会式よりひと回り成長したみなさんのたくましい顔を閉会式で見ることができました。今年もみなさんのそういう表情が見られるのを楽しみにしています。**

むすび

❸保護者や地域のみなさま、本日は子どもたちの活躍する姿を見に来てくださり、ありがとうございます。子どもたちの真剣な競技や演技に、温かい声援をお願いします。これまで準備やご指導にあたってくださった先生方に感謝し、あいさつといたします。本日は、よろしくお願いいたします。

あいさつの構成

①自己紹介
↓
②生徒への激励の言葉
↓
③保護者へのお願い

ポイント

体育祭という行事に参加する中学生への期待の言葉を中心に述べる。

保護者や地域の方など、観覧・応援に来てくれた人へは中学校関係者としてお礼の言葉を述べ、応援のお願いを伝える。

095例
中学校での行事のあいさつ

スピーチする人
50代／男性

中学校卒業式での来賓のあいさつ

はじめ

①わたくしは松井鴨下町内会の会長をしている林川泰朗と申します。みなさんの卒業にあたり、お祝いを申し上げる機会をいただき、ありがとうございます。

主題・エピソード

②卒業生のみなさん、ご卒業おめでとうございます。4月から、みなさんは自分自身で選んだ、それぞれの道を歩いていくことになります。そんなみなさんに一つお願いがあります。それは、自分自身で考えて行動する力をさらに磨いてください、ということです。そのためには、「よく見ること」、「よく聞くこと」、「よく考えて判断し行動すること」が大切です。迷ったり失敗したりしても、その経験を冷静に受け止めて、自らの頭で考え、よりよい答えを出して進んでいってください。みなさんのこれからに「幸多かれ」と願っています。

むすび

③保護者のみなさま、15年間の子育て、ほんとうにお疲れさまです。今日で子育てはひと区切りと言えますが、保護者としてはもちろん、人生の先輩として、これからもお子さまの成長を見守り、応援し続けていただきたいと思います。ご卒業、まことにおめでとうございます。

中学校でのあいさつの機会

中学校でも、小学校と同じように入学式や卒業式をはじめ、PTAや保護者会の総会や行事などで、あいさつ・スピーチの機会がある。

また、PTAの会長や役員は、学校内だけでなく、地域の自治会・町内会との会合や、行政が主催する各種会議などにも出席を求められ、あいさつ・スピーチを行う機会がある。会議・会合の趣旨を踏まえ、中学校の役員・保護者という立場から話をしたい。

あいさつの構成

①自己紹介
↓
②卒業生への祝辞
↓
③保護者へのお祝いの言葉

096例
PTA活動でのあいさつ

スピーチする人
40代／男性

PTA総会での会長のあいさつ

はじめ　主題・エピソード　むすび

みなさん、こんにちは。**❶本日は平日にもかかわらず岡本第三小学校PTAの総会にご出席いただき、ありがとうございます。わたくしは昨年度PTA会長を務めました久保岡昭文と申します。**

❷岡本第三小学校のPTAでは、会則で「児童の健やかな成長に寄与すること」を目的に掲げ、「保護者と教職員が協力して事業を行う」とうたっています。

PTAの活動では、学級委員会、生活委員会、広報委員会、地域委員会など、それぞれの担当に分かれて、一年を通じて活動してきました。会員のみなさんのそれぞれの事情に配慮して会議の回数を見直したり、事業の実施にあたりボランティアを募ったりといったことにも取り組み、参加しやすいPTAを目指しています。本日の総会では、昨年度の事業報告、決算・監査報告とともに、新年度の役員案、事業予定案、予算案についてみなさんに審議していただき、1年間のPTA活動の方向性を確認する時間にしたいと思っています。

❸出席された会員のみなさんの慎重なご審議をよろしくお願いいたします。

ポイント

PTA総会では、前年度の事業報告、決算・監査報告、新年度の役員・事業・予算の承認といった組織の重要事項が審議・決定される。

会則にうたわれている目的などを踏まえ、会員に慎重な審議をお願いする。

注意点

総会は、事前に会員に配布された議案書に基づいて議事が進行するので、議案書の報告・提案内容に沿った趣旨のあいさつを行う。

あいさつの構成

①出席のお礼と自己紹介
↓
②PTAの説明と総会の議事説明
↓
③審議のお願い

097例
PTA活動でのあいさつ

スピーチする人
40代／女性

PTA会長就任のあいさつ

あいさつの構成
①自己紹介と抱負
↓
②PTA活動のエピソード
↓
③役員・会員への協力のお願い

はじめ

みなさん、こんにちは。❶**ただいまご紹介いただきました川原宝子と申します。今年度PTA会長を担当することになりました。総会でご承認いただき、ありがとうございます。前任の元木会長が築いてくださった笠松南台小PTAの活動を、引き続きみなさんに参加したいと思ってもらえるよう取り組んでいきたいと思います。**

主題・エピソード

❷**わたくしには5年生の息子と3年生の娘がおります。子どもたちにPTAの話をすると、娘は「お母さんが学校によく来てくれて嬉しい」と言っていました。**長男は多くを語りませんでしたが、反対してはいないようです。夫は、「あなたがやる気があるならどうぞ」と言い、「その分、できる範囲で家事を分担しようか」とのことでした。

むすび

みなさんもわかっていらっしゃるように、会長としてのわたくしができることは限られています。❸**役員のみなさんに支えていただきながら、会長としての務めを果たしていきたいと思います。どうぞよろしくお願いいたします。**

ポイント
就任のあいさつでは、自己紹介や抱負に加えて、前任者へのねぎらいの言葉と、役員への今後のPTA活動への協力のお願いの気持ちを伝えることが大事。

注意点
PTAの健全な発展につながるようなあいさつを心がける。

098例
PTA活動でのあいさつ

スピーチする人
40代／女性

PTA役員就任のあいさつ

①自己紹介
↓
②役員就任にあたっての抱負
↓
③役員・会員への協力のお願い

はじめ　主題・エピソード　むすび

みなさん、こんにちは。**❶広報委員長に選ばれました藤本てる美と申します。**「長」という名のつくものは小学校のいきもの係委員長以来で、とても不安に思っています。ジャンケンの強さには自信があったのですが、勝った人が委員長になるとは思ってもみませんでした。どのようなことをすればいいのか、前任の委員長さんにアドバイスをいただきながら取り組んでいきたいと思います。

ＰＴＡの各委員は、仕事を持っている人やお子さんがまだ小さい人、親の介護が必要な人などもいらっしゃいます。**❷メールやSNSなどを活用しながら、みなさんにとって大きな負担になることのないよう、苦手なところは伝え合い、助け合って進めていきましょう。**

とはいえ、広報委員は運動会や音楽発表会など学校行事で子どもたちの活躍する姿を一番近くで見て、広報紙用に写真を撮ることなどもできると聞いています。**❸そういった「特典」もあると前向きに考えて、みなさんと協力して進めていきたいと思います。どうぞよろしくお願いいたします。**

注意点

くじびきやジャンケンなどで役員に選ばれることもある。わからないことを正直に話し、助けと協力を求めるとよい。

その場合も、「長」としてやるべきことは自らやる意思があることを伝えたい。

099例
PTA活動でのあいさつ

スピーチする人
40代／男性

PTA役員退任のあいさつ

むすび　主題・エピソード　はじめ

みなさん、こんにちは。前年度PTA会長の米長光広です。役員の退任にあたり、あいさつをする機会をいただきましたので一言申し上げます。**❶PTA役員としての2年間、一緒に活動してくれた役員のみなさんをはじめ会員のみなさんにはたいへんお世話になりました。**

❷2年前に役員になったとき、当時の会長さんから、PTA活動に必要なことをいくつか教えていただきました。その中でとくに心がけてきたことは「みんなで協力し合うこと」、「仕事が忙しくて自分でできないときは、遠慮なく助けを求めること」の二つです。会長になってからは「子どもたちのために」ということを役員や会員にはっきり示すことを心がけてきました。これらのことを役員会などで繰り返し話したことで、役員のみなさんにも考えや思いを共有して活動してもらえました。

❸反省点も多くありますが、新年度の皆川会長に思いを託して、これからも金松東小のPTAを応援してまいります。

PTA活動のあいさつの心得

①総会や会議などでのあいさつは会員向けに、学校行事でのあいさつは主に児童・生徒向けに話す。
②参加者へのお礼はもちろん、担当役員や先生方へのお礼の言葉を盛り込む。
③会議や行事などの主旨を参加者にも理解・共有してもらう。
④あいさつに盛り込むエピソードは、身近に経験したことや実感したことを。
⑤PTA活動に参加協力してもらえるようお願いする言葉を添える。

あいさつの構成

①協力へのお礼
↓
②PTA活動のエピソード
↓
③今後に託す思い

スピーチする人
30代／男性

父親懇談会での自己紹介

はじめ

みなさん、こんにちは。**❶◯◯組の高村実夕子の父親の高村和由紀と申します。わたしは建築の仕事をしています。**内装関係が中心で、最近ではキッチンやリビングのリフォームの依頼を受けることが多くなりました。父親懇談会に出るのは今回が初めてで、少し緊張しています。

主題・エピソード

❷わが家は6年前にこの町に引っ越してきました。わたしと妻と娘の実夕子、下に和登司という3年生の弟がいます。娘は、妻とはよく話をしていますが、最近は自分の意見を譲らないことも出てきました。わたしに対しては、2年生くらいまでは普通に接していましたが、最近は家にいてもあまり話をしてもらえません。ちょっと難しい年ごろになってきたのかなと感じています。

むすび

❸今日は、娘の学校での様子などを聞かせてもらおうと思って出席しました。5年生の女の子にどう接したらいいかなど、先生や参加されているみなさんの経験やアドバイスなども聞かせてもらえるとありがたいです。よろしくお願いします。

あいさつの構成

①自己紹介
↓
②家庭や子どもの話
↓
③懇談会に期待すること

ポイント

「懇談会」は通常、学年単位で行われ、先生と保護者が学習面や生活面のことなど、子どもの話題を中心に話し合う場。

初めて顔を合わせる人が多いので、自己紹介では、名前だけでなく、子どもの名前や家族構成、仕事の内容なども簡単に話す。

注意点

あくまで子どものことを話す場なので、自己紹介が長くならないようにする。

101例 懇談会・謝恩会でのあいさつ

スピーチする人 40代／女性

クラス謝恩会での幹事のあいさつ

はじめ

❶6年3組のみなさん、あらためてご卒業おめでとうございます。卒業式が無事に終わってよかったですね。本日はこれから、お世話になった担任の山本昌有希先生をお招きして、6年3組の謝恩会を行います。わたくしは本日の幹事を務めます、藤ノ本香織と申します。同じく幹事の室井さんとともに、本日の準備を進めてきました。慣れない役目で不行き届きのところもあるかもしれませんが、どうぞよろしくお願いいたします。

主題・エピソード

さて、❷本日は、まず保護者代表の下田さんにごあいさついただきます。そのあとみなさんで昼食を食べながら懇談する時間を持ち、保護者と子どもたちによる歌とダンスなどの出し物を披露します。そのあとで、3組代表の河北翔平さんと中野果歩里さんにあいさつしてもらい、最後に山本先生からごあいさつをいただくことになっています。

むすび

❸3時までの限られた時間ですが、3組のみんなで過ごす小学校時代最後の貴重な会ですので、お開きまでどうぞよろしくお願いいたします。

あいさつの構成

①開会のあいさつ
↓
②プログラムの説明
↓
③結びの言葉

ポイント

謝恩会は、子どもの卒業にあたり、お世話になった学校・先生に対して感謝を伝えられる、学校生活最後の機会。

当日のプログラムを説明し、終わりの時間を伝える。

注意点

幹事のあいさつは、会の進行のために必要なことをまとめて短めに話す。

最近では小学校でも、男女ともに「さん付け」が広まっている。

102例
懇談会・謝恩会でのあいさつ

スピーチする人
40代／女性

学年謝恩会での保護者代表のあいさつ

はじめ　主題・エピソード　むすび

❶ただいまご紹介いただきました6年2組結城那津子の母親の那美子と申します。学年謝恩会にあたり、保護者代表としてごあいさつさせていただきます。

❷娘たち卒業生がこれまでお世話になった東峰野小学校の先生方、6年間ほんとうにありがとうございました。1年生から6年生まで子どもたちをご指導いただいたことに、心から感謝を申し上げます。入学式の朝に大きいと感じたランドセルは、卒業するころには小さく見えるようになりました。日々の変化は気づきにくいものですが、6年間で子どもたちが立派に成長してきたことを実感しています。先生方には勉強はもとより、給食の時間や学校行事、クラブ・委員会活動など、さまざまなかたちでご指導いただきました。おかげさまで156名全員が元気に卒業の日を迎えることができました。

これから子どもたちは、中学校へ進みます。**❸東峰野小学校で身につけたことを生かして、さらに成長してくれると期待しています。保護者としてこれからも子どもの成長を見守っていきたいと思います。**ありがとうございました。

あいさつの構成
①自己紹介
↓
②先生方への感謝
↓
③結びの言葉

ポイント
お世話になった先生方への感謝を伝える。
進学する子どもたちへの期待や保護者としての決意なども話してまとめる。

注意点
学年謝恩会なので、特定の先生へのお礼の言葉は入れず、関係する先生全員に対する感謝の言葉を述べる。

103例 同窓会でのあいさつ

スピーチする人 50代／女性

同窓会幹事の開会のあいさつ

はじめ

みなさま、こんにちは。❶**本日は白山川北高等学校の同窓会にお集まりいただき、まことにありがとうございます。**わたくしは今回同窓会の幹事を務めます山下路予と申します。開会にあたり、一言ごあいさつ申し上げます。

主題・エピソード

白山高校は今年、開校50周年を迎えました。同窓会は開校10年を機に始まりましたので、今年で設立40周年という節目の年です。❷**本日の同窓会は、名誉会長であります川藤智史校長先生をはじめ、来賓としてわたくしが在校時にお世話になった数学の村中慎伍先生、そのころに新任で赴任されました宮野森裕司先生にもご出席いただきました。先生方、本日はご出席いただき、まことにありがとうございます。**また、河野恵湖教頭先生には本日の準備にご協力いただきました。この場を借りて、感謝申し上げます。

むすび

❸**本日は限られた時間ではありますが、白山川北高校で青春時代を過ごしたみなさまと語り合い、旧交を温める機会にしてください。**みなさま、本日はどうぞよろしくお願いいたします。

あいさつの構成

①参加者へのお礼
↓
②恩師の紹介とお礼
↓
③参加者へのお願い

ポイント

同窓会の開催にあたり、学校や同窓会の沿革に簡単に触れる。

幹事の立場で、列席の恩師を紹介し、お礼を述べる。

104例 同窓会でのあいさつ

スピーチする人 60代／男性

同窓会会長就任のあいさつ

はじめ　主題・エピソード　むすび

❶ただいまご紹介いただきました、1977年卒業の池谷利志彦と申します。先ほど行われました小川西里高等学校同窓会の定時総会において、第9代会長に選任されました。ご承認いただき、まことにありがとうございます。会長就任にあたり、一言ごあいさつ申し上げます。

小川西里高校の同窓会は、同窓生の親睦を深めるとともに母校小川西里高校を支援することを目的に設立され、今年で設立55周年を迎えます。歴代の卒業生は1万3000人を超え、さまざまな地域・業界で活躍しています。**❷同窓会は、同級生と久しぶりに顔を合わせ、互いの近況を話したり、高校時代の懐かしい思い出を語り合ったりすることのできる貴重な場です。同窓会を通じて新たな関係が生まれ、みなさまの人生を豊かにする機会となれば幸いです。**

❸先輩世代が築いてくださった小川西里高等学校同窓会を後輩たちにつないでいけるよう努めていきたいと思います。どうぞみなさまのお力添えで、同窓会を盛り立ててくださいますよう、よろしくお願いいいたします。

あいさつの構成

①自己紹介
↓
②会長としての思い
↓
③会員への協力のお願い

ポイント

会長就任にあたり、自己紹介をし、会長としての抱負を述べる。

同窓会の魅力を伝え、活動への協力のお願いをして結びの言葉とする。

105例 同窓会でのあいさつ

スピーチする人
60代／男性

同窓会での恩師のあいさつ

はじめ　主題・エピソード　むすび

みなさん、お久しぶりです。**❶1980年に新任で植森中学校に赴任した、社会科の大和健三です。現在は中学校を退職し、地域のボランティア活動をしながら趣味の陶芸を楽しんでいます。**

❷私が赴任した当時の植森中学校は開校して2年目でした。まだ校庭も十分に整備されておらず、生徒のみなさんと教員が一緒になって校庭の石を拾って、200メートルのトラックを作ったのを昨日のことのように思い出します。同窓会の会長をされている三野田義雄くんは、そのころの教え子です。わたしは10年ほど植森中学校にいましたので、みなさんの中学時代を懐かしく思い出します。みなさんが立派に活躍されている話を聞いて、たいへん嬉しく思います。

同窓生は、多感な中学時代を一緒に過ごし、共通の体験をした仲間です。何年会わずにいても、会えばすぐに当時に戻って語り合うことができます。**❸そうした仲間と語り合う機会を大切にして、これからも同窓会を継続してください。植森中学校と同窓会の今後の発展をお祈りして、あいさつといたします。**

あいさつの構成

①自己紹介
↓
②赴任時のエピソード
↓
③今後へのお願い

同窓会・クラス会

同窓会やクラス会は、小学校、中学校、高校、大学とそれぞれの時代の同窓生同士が集まる組織・場である。共通するのは、同じ学校で過ごした経験を持つこと。

クラス会では、とくに同じ時間を過ごした同級生や恩師と再会して旧交を温めることができる。同窓会ではさらに、世代の異なる同窓生と知り合うことができる貴重な場である。

106例 同窓会でのあいさつ

スピーチする人 50代／女性

同窓会幹事の閉会のあいさつ

はじめ

❶みなさま、本日は海原南中学校の同窓会にご参加いただき、まことにありがとうございました。 本日の同窓会はいかがでしたでしょうか。

主題・エピソード

❷わたくしは今日、在学中に同じクラスだった同級生に数十年ぶりに会うことができました。 本多さんは現在、北海道に住んでいるそうですが、ＳＮＳを通じて同窓会の存在を知り、お孫さんに会いに東京に来る予定と重なったので、参加してくれました。また、長い間海外勤務されていた佐藤さんは、このたび日本に帰国されたそうで、タイミングよく参加できたそうです。このように久しぶりにみなさまに会えて、とても楽しかったです。

本日はお世話になった友田先生や溝井先生にもご出席いただき、ありがとうございました。世代の異なる先輩方や後輩のみなさまとも、海原南中学で過ごしたという共通の思い出話に花を咲かせることができました。

むすび

❸これを機に、今後も同窓会に参加していただければと思います。 本日はご参加いただき、ありがとうございました。

ポイント
幹事として、出席者に参加のお礼を伝えるとともに、同窓会への今後の参加を呼びかける。

注意点
エピソードを話すときは、公表すべきでない詳細な個人情報は避ける。

あいさつの構成
①参加者へのお礼
↓
②会の中でのエピソード
↓
③今後への期待

コラム

学校行事で使えるワンフレーズの〝決め言葉〟

学校行事で行われるスピーチは、公的な場でのものです。あまり崩れすぎない適度な〝決め言葉〟を取り入れると失敗がありません。こちらに紹介したフレーズを、いろいろな場面でご活用ください。

●スピーチの冒頭にふさわしいフレーズ

新入生（卒業生）のみなさん、ご入学（ご卒業）おめでとうございます。

校長先生をはじめ、諸先生方のご指導のたまものです。

成長されたお子さまの姿に、保護者のみなさまの感慨もひとしおでしょう。

●スピーチの締めにふさわしいフレーズ

みなさんのさらなる成長と今後の活躍を願っています。

みなさまには、これからもお子さまの成長を見守り、応援し続けていただきたいと思います。

今後とも○○にご協力いただきたく、よろしくお願いいたします。

○○のみなさまには、長年にわたりご協力いただき、ありがとうございました。

○○小学校の今後の発展をお祈りして、あいさつといたします。

第7章

地域活動での あいさつ・スピーチ

107例
町内会行事でのあいさつ

スピーチする人
60代／男性

町内会行事へ初参加の人の自己紹介

はじめ　主題・エピソード　むすび

みなさん、おはようございます。❶**わたしは朝野秀明と申します。「朝」は朝昼晩の「朝」です。**今回、初めて町内会の行事に参加させていただきます。

わたしは竹之岡市に越してきて30年になります。この1月に勤めていた会社を65歳で定年退職しました。会社が都内にあったため、朝早く家を出て夜遅く帰宅する毎日の繰り返しで、休日は家でゴロゴロするだけで、町内会の行事に参加する機会がありませんでした。家族は妻と2人の娘、それにネネという名前のネコを1匹飼っています。❷**退職を機に暮らしているこの町に目を向けると、町の歴史など知らないことが多く、新しい発見がありました。それで、これまで参加してこなかった町内の行事にも参加したいと思い、町内会役員の和田さんに連絡して、本日の夏まつりのお手伝いに伺いました。**

会社員時代に参加した職場のお祭りで、焼き鳥を焼いた経験が2、3回あります。❸**みなさんに教えていただきながら、お手伝いさせてもらえればと思います。本日は、どうぞよろしくお願いいたします。**

あいさつの構成

①自己紹介
↓
②行事参加の経緯
↓
③参加者へのお願い

ポイント

はじめての参加なので、自己紹介、家族構成などを話す。初対面の人に名前を覚えてもらいやすいように、どのような文字なのかを伝えるとよい。

行事に参加する意欲を伝えるようにする。

注意点

これまでの経歴を話す際には、自慢話にならないように注意し、新参者として教えていただくという姿勢を忘れずに。

108例
町内会行事でのあいさつ

スピーチする人
60代／男性

町内会行事へ初参加の人への歓迎の言葉

はじめ／主題・エピソード／むすび

みなさん、おはようございます。古田岡町町内会会長の満川幸雄です。**❶本日の町内会夏祭りには、ただいまごあいさついただいた幸村さんが初めて参加してくださいます。幸村さん、ご参加いただきありがとうございます。**

❷古田岡町町内会は、古田岡町1300世帯の9割を超える1188世帯が会員になっています。春と秋の地域清掃、年に一度の防災訓練、夏祭り、秋の市民祭り、11月の市民体育大会、12月の餅つき大会、そして1月の新年会が町内会の主要行事となっています。ほかにも、公民館と共催のバス旅行も行っています。町内会は、古くからの住民だけでなく、幸村さんのように越してこられた方も参加してくださっています。

町内会の行事は、地域の子どもたちが楽しみにしているものもあり、子どもたちの笑顔のために役員を中心に頑張っています。今日は、その楽しい夏祭りです。**❸幸村さんも今日一日、楽しんでください。そしてぜひほかの行事にも積極的に参加してください。今後とも町内会へのご協力をお願いします。**

あいさつの構成

①歓迎の言葉
↓
②町内会について
↓
③今後の協力のお願い

ポイント

初参加の人を歓迎する気持ちを伝える。

今後も町内会の行事に積極的に参加してもらえるよう、協力をお願いする。

注意点

町内会は高齢化や人手不足などの課題はあるが、まずは今日一日を楽しく過ごしてもらい、町内会への興味を持ってもらえるようにしたい。

109例
町内会行事でのあいさつ

スピーチする人
50代／女性

定期総会での開会のあいさつ

はじめ　主題・エピソード　むすび

みなさま、おはようございます。❶**本日は、銀岡町町内会の定期総会にお集まりいただき、まことにありがとうございます。**わたくしは当町内会副会長の金井と申します。開会にあたり、一言ごあいさつ申し上げます。

日ごろから、銀岡町町内会の事業にご協力いただきありがとうございます。

当町内会では4月から3月までの1年間を事業年度・会計年度としており、決算および監査を経て、例年5月に定期総会を開催しています。❷**今年度の定期総会では、まず前年度事業について報告し、会員のみなさまからお預かりした会費をもとにした前年度予算についての決算報告・監査報告を行い、審議のうえご承認をいただきます。**その後、新年度の役員を選任し、新年度の事業予定、予算について提案し、ご審議のうえご承認の採決を行います。

昨年度は湯気浜豊会長になって2年目ということで、さまざまな事業を予定通り行うことができました。❸**新年度に向けて、さらに充実した町内会活動が行えるよう、ご出席のみなさまの慎重なご審議をよろしくお願いいたします。**

あいさつの構成

①出席者へのお礼
↓
②総会についての説明
↓
③出席者へのお願い

年中行事①（②は160ページ）

町内会の活動は、年中行事に合わせて行われることが多い。

【1月】
・1日…元旦
・7日…七草粥
・第2月曜日…成人式

【2月】
・3日ごろ…節分
・14日…バレンタインデー

【3月】
・3日…ひな祭り
・21日ごろ…春分の日
・中旬〜下旬…卒業式

【4月】
・初旬〜中旬…入学式

110例
町内会行事でのあいさつ

スピーチする人
50代／男性

定期総会での会長就任のあいさつ

はじめ

あらためまして、みなさま、おはようございます。❶**ただいま定期総会で会長選任のご承認をいただきました米田研三郎です。ご承認いただきありがとうございます。**会長就任にあたり、一言ごあいさついたします。

主題・エピソード

❷**前任の山野本義雄会長には5期10年にわたって桜山美しが丘町内会を牽引していただいたこと、心からお礼を申し上げます。まことにありがとうございました。**力不足のわたくしですが、山野本会長の築かれた桜山美しが丘町内会がさらに発展するよう努力してまいります。桜山美しが丘町内会は会員世帯数が835の比較的小さな町内会です。地元に長くお住まいの方、25年ほど前の再開発で引っ越してきた方、そして、最近のマンション建設で新たに住人になった方などがいらっしゃいます。

むすび

❸**町内会は、同じ地域に住む人々という共通点で結ばれた組織です。住みやすく、長く愛着を持って暮らせる地域となるよう、互いに協力して町内会活動を行っていきましょう。みなさまのご協力を、よろしくお願いいたします。**

あいさつの構成

①自己紹介と参加者へのお礼
↓
②前任者への感謝
↓
③抱負と協力のお願い

ポイント

会長就任にあたり、選任のお礼や前任会長への感謝を述べ、今後の抱負と町内会活動への協力をお願いする。

注意点

今後の抱負を述べるときは、独りよがりにならないよう住民への協力をお願いする内容にし、明るい調子で話す。

111例
町内会行事でのあいさつ

スピーチする人
60代／男性

緊急議題があるときの会長のあいさつ

はじめ

みなさま、こんにちは。美好海原町町内会長の中村です。**❶本日は、急なご案内にもかかわらず、多くのみなさまに町内会の臨時総会にお集まりいただき、まことにありがとうございます。**

主題・エピソード

❷本日の臨時総会は、町内会で所有するお祭りの山車の補修・維持に関して、緊急にご承認をいただきたい問題が出てきたことから、会則第6条にしたがって招集させていただきました。事前にお配りした議案書にあるように、10月に行われた山車祭りの際、山車小屋の壁に山車をぶつけ、屋根が一部破損してしまい、修理が必要になりました。あわせて山車の天井の補修を行う計画を立てたところ、完成までに半年かかることがわかり、定期総会でのご承認では次のお祭りに間に合わない恐れがあることから、臨時総会を開くこととしました。

このあと議事の中で、山車の損傷の程度と予定している補修の内容、必要な予算、今後のスケジュールなどをみなさまにご説明いたします。

むすび

❸慎重なご審議のうえご承認いただきたく、よろしくお願いいたします。

注意点

町内会行事では、さまざまな年齢層の参加者がいることを踏まえ、以下の点に特に注意する。

- 普段よりゆっくり、大きめの声で話す。
- 主語と述語の対応がわかりやすいように、一文を簡潔に。
- 同音異義語がある熟語などは聞いてすぐに理解できない場合があるので、日常的によく使う訓読みの言葉で話す。

例：「ご参集いただき…」
→「お集まりいただき…」

あいさつの構成

①参加者へのお礼
↓
②緊急議題の説明
↓
③審議のお願い

112例
町内会行事でのあいさつ

スピーチする人
50代／女性

町内美化運動での委員のあいさつ

はじめ　主題・エピソード　むすび

みなさま、おはようございます。環境美化委員の上林と申します。**❶本日は朝早くから町内美化活動にお集まりいただき、ありがとうございます。**

滝野川市では、毎年春と秋の2回、各地域で町内美化活動を行っています。**❷本日の春の美化活動では、地域のごみ拾い、広場と土手の草取り、小川沿いの側溝の泥上げを手分けして行います。**側溝の泥上げは、とくに力のある男性のみなさまにお願いしたいと思います。なお、地域のごみ拾いの際は、家庭ごみの分別とは異なり、汚れたプラスチック類は破砕ごみの扱いになりますので、燃やせるごみ、破砕ごみ、びん・缶、ペットボトルに分別していただくようお願いします。その他、細かい作業内容は、各場所に腕章をした環境美化委員がいますので、担当の委員からお聞きください。

❸本日は暑くなる予報が出ていますので、水分補給に気をつけて活動を行ってください。終了時間は午前10時の予定です。それではみなさま、どうぞよろしくお願いいたします。

ポイント
参加者への参加のお礼を述べた後、本日の活動内容について説明する。活動上の注意点や、終了予定時刻を伝える。

注意点
活動を分担して行う場合は、細かい作業内容は担当ごとに説明してもらい、開始のあいさつではおおまかな内容を伝える。

あいさつの構成
①参加者へのお礼
↓
②本日の活動内容
↓
③活動時の注意点

113例
町内会行事でのあいさつ

スピーチする人
40代／女性

お年寄りの会での役員のあいさつ

はじめ　主題・エピソード　むすび

みなさま、おはようございます。❶**本日はお達者元気サークルのバス旅行にご参加いただき、まことにありがとうございます。わたしは日東釜町町内会の副会長で、お達者元気サークルお世話係の堤下です。**

❷**日東釜町町内会では、65歳以上のみなさまを主な対象とした「お達者元気サークル」で、年に4回の活動を行っています。春のお花見食事会、初夏のご近所ハイキング、秋のバス旅行、そして12月の年忘れ食事会です。**どなたか「物忘れ食事会」とおっしゃった方がいらっしゃいますが、正しくは「年忘れ食事会」ですのでお忘れなく！　本日のお達者元気サークルは、みなさまお待ちかねのバス旅行です。信州上田方面に、日帰りで行きます。その都度ご案内しますが、ご乗車の際にお渡ししたしおりに予定が書いてありますので、ご覧ください。

❸**このあと高速道路を通って上田に向かいますが、途中2度のトイレ休憩を予定しています。それ以外にトイレに行きたくなった場合は、遠慮なくお声かけください。**それではみなさま、今日一日、思う存分楽しみましょう！

あいさつの構成

①参加者へのお礼と自己紹介
↓
②会の内容の説明
↓
③参加者へのお願い

ポイント

参加のお礼を伝え、会の説明などを簡単に行う。

注意点

楽しい雰囲気づくりを心がけ、あいさつも冗談を交えながら元気よく行う。

バス旅行など長時間の催しや予定している内容が多い会の場合は、日程を記したしおりや案内を用意して、口頭での説明を補うようにするとよい。

114例
町内会行事でのあいさつ

スピーチする人
30代／女性

子どもの集いでの役員のあいさつ

はじめ　主題・エピソード　むすび

みなさん、おはようございます！ **❶わたしはやまどり町町内会の副会長で子ども会の担当をしている指田です。**今日はいよいよ、みんなが待っていた「お楽しみ会」です。今日の準備は、お母さん・お父さんたちがやってくださいました。みんなでお礼を言いましょう！「ありがとうございます！」

❷今日のお楽しみ会は、10時から12時までの予定で、初めに「名前でビンゴ」というゲームをします。なんと、1位から3位までに入った人にはノートとシャーペンのプレゼントがありますよ！ もし3位以内に入れなくても、大丈夫！ 後でおいしいお菓子を配りますからね。ゲームの後には、子ども会役員の6年生による「お楽しみクイズ」があります。6年生がみんなのために、とっておきのクイズを出してくれます。どんなクイズなのか、楽しみですね！ クイズが終わったら、みんなでお菓子を食べながらお話をしましょう。

❸それではみなさん、「お楽しみ会」を始めます！ 今日は最後まで楽しんでくださいね。

あいさつの構成
①自己紹介
↓
②お楽しみ会の説明
↓
③開始の号令

ポイント
あいさつの中で、参加する子どもたちに会の内容をわかりやすく説明する。

注意点
お楽しみ会の雰囲気を盛り上げるために、身振り手振りを使うなどして、元気で明るい調子で話す。
低学年の子どもにも理解できる言葉で話すこと。

スピーチする人
50代／女性

盆踊りでの会長のあいさつ

はじめ　主題・エピソード　むすび

みなさま、こんばんは。わたくしは愛宕坂上町町内会の会長の中山です。❶**本日は愛宕坂上町町内会の盆踊りに、このようにたくさんのみなさまにお集まりいただき、まことにありがとうございます。準備からご協力いただいている役員のみなさまには、この場を借りてお礼申し上げます。**

❷**本日の盆踊りは前半を子どもの部、後半を大人の部として、6時から8時まで開催します。子どもの部と大人の部の間には、囃子連によるお囃子演奏があります。**お子さんにはかき氷を1杯振るまうので、踊りが終わったら、お配りした無料券と引き換えに受け取ってください。食べ物は焼き鳥と焼きそば、冷や汁などを用意しています。飲み物はお茶やジュース、ビールもあります。チケット売り場でチケットを買って、屋台で交換してください。

❸**この時刻でもまだまだ気温が高く、熱中症も心配されます。各自水分を補給しながら、盆踊りを楽しんでください。**それでは盆踊りを始めます。どうぞよろしくお願いいたします。

あいさつの構成

①参加者・役員へのお礼
↓
②盆踊りの説明
↓
③参加の注意点

年中行事②（③は162ページ）

【5月】
・初旬…八十八夜
・5日…こどもの日

【6月】
・第2日曜日…母の日
・第3日曜日…父の日

【7月】
・7日…七夕
・第三月曜日…海の日

【8月】
・11日…山の日
・13～16日…お盆（旧盆）
・15日…終戦記念日

116例
町内会行事でのあいさつ

スピーチする人
50代／男性

防災訓練での役員のあいさつ

はじめ　主題・エピソード　むすび

みなさま、おはようございます。**❶利根富士見町町内会の副会長で防災対策リーダーの真田と申します。**本日はお忙しい中、町内会主催の防災訓練にご参加いただきありがとうございます。

利根富士見町町内会では例年、6月に防災訓練を開催しています。市全体で行う防災訓練は例年9月の防災の日前後に予定されており、昨年度は避難所設営の訓練なども行われました。**❷本日の町内会の防災訓練では、ご家庭など身近なところで起こる火災の初期消火訓練と、煙体験、起震車による地震体験を行います。そのあと、利根富士見消防署の職員の方による「家庭でできる防災対策」の講話を伺います。**防災訓練全体で1時間30分ほどを予定しています。

災害はいつ発生してもおかしくありません。それだけに、**❸わたくしたちに求められるのは、災害に対する日ごろの備えと、災害が発生したときに落ち着いて素早く必要な行動を取ることです。本日の防災訓練をその一助としていただければと思います。**本日はよろしくお願いいたします。

あいさつの構成
①自己紹介
↓
②訓練の内容説明
↓
③訓練の意義

ポイント
参加者へ向けて具体的な訓練内容を説明しつつ、防災訓練の意義を強調する。

注意点
訓練といっても、参加者が緊張感をもって取り組めるように真剣な口調で話す。

117例 町内会行事でのあいさつ

スピーチする人 50代／男性

町内会運動会での委員のあいさつ

はじめ

みなさま、おはようございます。広前町町内会のスポーツ推進委員の吉井です。**❶本日は朝早くから上山川地区町内会対抗運動会に参加していただき、ありがとうございます。**

主題・エピソード

上山川地区町内会対抗運動会は今年で30回目の開催を迎えました。当初は徒競走やリレーなどを中心とした本格的な運動競技会でしたが、25回大会以降は住民の親睦を図るスポーツ行事という要素を増やし、日ごろの運動不足を解消するきっかけとなるよう競技の内容を工夫しています。**❷今年の運動会のテーマは「無理せずケガなく楽しんで！」です。最近注目されているフレイル予防にも配慮して、今年はとくに足の筋力を強化する動きを取り入れた「風船運びリレー」をプログラムに加えました。**

むすび

❸最後になりますが、これまで準備にあたってくださった役員のみなさま、ご協力に感謝します。それではみなさま、今日はケガには十分気をつけて頑張りましょう！

あいさつの構成

①参加者へのお礼
↓
②運動会の意義
↓
③役員への感謝

年中行事③

【9月】
- 1日…防災の日
- 第三月曜日…敬老の日
- 23日ごろ…秋分の日

【10月】
- 第2月曜日…スポーツの日
- 31日…ハロウィーン

【11月】
- 3日…文化の日
- 15日…七五三
- 23日…勤労感謝の日

【12月】
- 25日…クリスマス
- 31日…大晦日

118例
町内会行事でのあいさつ

スピーチする人
60代／男性

町内旅行会での会長のあいさつ

はじめ　主題・エピソード　むすび

おはようございます。中諏訪山町町内会会長の本村です。❶**みなさまには朝早くからお集まりいただき、ありがとうございます。旅行会担当役員の川崎さん、金満さんも、準備をありがとうございます。**

❷**本日は中諏訪山町町内会が主催する年に一度の旅行会で、特急電車に乗って県民公園まで芝桜を見に行きます。**公園で2時間ほど過ごした後、お昼は公園近くで、くるみそばと季節の野菜天ぷらなどの食事をいただき、帰りに日帰り温泉に立ち寄ってから、5時にこの中諏訪山駅に戻ってくるスケジュールになっています。

本日は、初参加のみなさまも半分ほどいらっしゃいますが、❸**この旅行会で会員同士の親睦を図っていただきたいと思います。また、今回を機に、旅行会以外の行事にもご参加いただければ幸いです。それでは、楽しい旅行会となるよう、みなさまのご協力をお願いいたします。**今日は一日、よろしくお願いいたします。

ポイント

参加者への参加のお礼を述べ、旅行会の行程の説明をする。

旅行会は初めての会員も参加しやすい企画なので、これを機に、町内会のほかの行事への参加を促す説明を入れてもよい。

あいさつの構成

①参加者と役員へのお礼
↓
②旅行会の行程紹介
↓
③参加者へのお願い

119例
町内会行事でのあいさつ

スピーチする人
50代／男性

町内パトロールでの出発時のあいさつ

むすび　主題・エピソード　はじめ

みなさん、こんばんは。暑い日が続いていますね。❶**本日は、夏休みの防犯パトロールにお集まりいただき、ありがとうございます。**山城森町町内会の防犯推進委員の川合です。

❷**山城森町町内会では夏休みの期間中、週に2回、防犯パトロールを実施しています。**パトロールは防犯を目的として行うものです。そのため、防犯灯や防犯用ベストや帽子など目立つものを着用していただいています。最低でも3人以上で行動し、パトロールを実施していることを周囲にアピールして、悪意を持つ人物にこの地区での犯罪を思いとどまらせることが狙いです。万が一、パトロールするみなさんに危険が及びそうな場合には、身の安全を守ることを第一に行動してください。本日は会館を出発し、二手に分かれて町内の外周を巡回してまた会館に戻ってくるかたちで実施します。

❸**足元が暗いので、転ぶことなどのないように気をつけながら歩いてください。**どうぞよろしくお願いいたします。

あいさつの構成

①参加者へのお礼
↓
②パトロールの説明
↓
③参加者へのお願い

ポイント
パトロールの趣旨と注意点を参加者に伝え、パトロールの方法について説明する。

注意点
一般の町内会員が参加するパトロールは安全が第一。危険が及びそうな場合は身を守ることが第一と伝えておく。

スピーチする人
60代／男性

マンション管理組合の理事長就任のあいさつ

はじめ　主題・エピソード　むすび

みなさま、こんにちは。**❶ただいま定期総会で理事長に選ばれました石野谷大輝と申します。ご承認いただき、ありがとうございます。**

わたくしはこの宮ノ川マンションが建ったときに入居し、今回が2回目の理事会役員就任ですが、理事長は初めてです。**❷森山由伸前理事長をはじめ前期理事のみなさまには役員として1年間ご尽力いただき、ありがとうございました。そして、今期の理事に就任されたみなさま、1年間どうぞよろしくお願いいたします。**これまで同様、管理会社の島本さんのサポートを得ながら、理事会を運営していきたいと思います。

当マンションは、竣工から12年を経過し、大規模修繕を控えています。**❸今期の理事会では、例年の理事会業務のほかに、大規模修繕に向けた事業者の選定準備を進めていく必要があります。組合員の中には、専門知識をお持ちの方もいらっしゃいますので、そうしたみなさまの力を借りながら取り組んでいきたいと思います。**みなさまのご協力を、よろしくお願いいたします。

ポイント

理事長就任にあたり、選任のお礼を述べる。前任者や役員への感謝を述べ、今期の重要案件に関して、住人への協力を呼びかける。

注意点

マンション住人の中には何かしらの専門家がいるので、すでに案件がある場合は、就任時に協力を呼びかけると、役員以外の協力も得られる可能性がある。

あいさつの構成

①自己紹介と理事長選任のお礼
↓
②前任者への感謝
↓
③抱負と協力のお願い

121例
マンション行事でのあいさつ

スピーチする人
50代／女性

定例理事会での理事長のあいさつ

はじめ　主題・エピソード　むすび

みなさん、おはようございます。マンション管理組合の第8期第1回理事会にお集まりいただき、まことにありがとうございます。**❶わたくしは、先日の管理組合総会で理事長に選ばれました行永郁恵と申します。あらためまして、今期理事のみなさん、1年間どうぞよろしくお願いいたします。**管理会社担当の三島さん、管理員の塚越さんも、よろしくお願いします。

さて、**❷本日は、今期理事会の主な年間予定を説明しながら、理事のみなさんの役割分担などを確認していきます。また、総会で出された主な懸案事項について、どう対応していくかを話し合いたいと思います。**具体的には夜の騒音問題、そしてハトのフン被害対策についてです。

理事会の開催時間は10時から11時半までの1時間半の予定ですので、**❸議論しきれない内容については担当理事や理事長にお任せいただく場合が出てくると思いますが、必要なところまでは理事のみなさんで共有しながら決めていきたいと思います。**みなさん、どうぞよろしくお願いいたします。

ポイント
第1回の理事会の場合は、自己紹介した後、ほかの理事や管理会社へあらためて協力をお願いする。
今回の理事会の内容・議題を説明する。

注意点
理事会は一般的に合議制の組織なので、理事長の独断で進めるのではなく、理事会全体として事業を進めていくべきものであることを共有しておく。

あいさつの構成
①自己紹介とお願い
↓
②議題・内容の説明
↓
③理事へのお願い

122例
マンション行事でのあいさつ

スピーチする人
60代／女性

組合親睦会での理事長のあいさつ

はじめ　主題・エピソード　むすび

みなさん、こんばんは。管理組合理事長の岡山です。**❶本日は管理組合親睦会にご参加いただき、まことにありがとうございます。**

当マンションは竣工から25年が経過しました。25年前に一斉入居した住民は現役世代が多くいましたが、そうしたみなさんもリタイアされ始め、お子さんが独立して夫婦二人暮らしや一人暮らしの方もいらっしゃいます。また、3分の1ほどのご家庭は途中入居の方で、小さなお子さんのいる世帯も増えてきています。**❷本日の管理組合親睦会は、ふだんはなかなか顔を合わせて話をする機会のない住民のみなさんが親睦を深めるきっかけとなるように企画したものです。**

❸参加してくださったみなさんには名札を付けていただきましたが、初めに簡単な自己紹介をしていただいてから食事と懇談に移りたいと思います。ここからの進行は副理事長の増島さんにお願いします。みなさん、どうぞよろしくお願いいたします。

あいさつの構成

①参加者へのお礼
↓
②親睦会開催の趣旨
↓
③参加者へのお願い

マンション行事の例

毎月の定例理事会以外に行われる会議や行事には、次のようなものがある。

【5月】定時総会（役員選出、役職決め等）
【6月】理事会引き継ぎ
【7月】納涼会
【9月】消防訓練
【11月】環境美化活動
【12月】クリスマスイベント
【1月】餅つき大会
【3月】決算理事会（決算案、予算案、次期役員候補選出）

123例
サークル活動でのあいさつ

スピーチする人
40代／男性

サークル活動総会での開会のあいさつ

はじめ

みなさま、こんにちは。宮野原歩こう会会長の芦田です。**❶本日はお忙しい中、総会にご出席いただきありがとうございます。**

主題・エピソード

❷総会の開会に先立って、宮野原歩こう会について、少しお話ししたいと思います。宮野原歩こう会は平成20年に5人のメンバーで活動を始めました。創設メンバーのお一人の川上さんが大学の山岳部出身という経歴から、山歩き初心者の4人を引率するリーダー役を果たしてくれました。初級の山歩きを中心に活動しているうちに参加者が増え、会員数は35名になりました。最近では3月下旬から11月下旬まで、トレッキングと登山の例会を3カ月に一度実施し、昨年度の参加人数は延べ137人とこれまでで最大の人数になりました。

むすび

❸本日は、会費の決算報告と監査報告、新年度の役員の承認、予算案と行事計画案についてよく検討し、ご承認ください。新年度の山歩きの具体的なプランは、総会後の懇親会の場で話題にできればと思います。それではみなさま、よろしくお願いいたします。

あいさつの構成

①出席者へのお礼
↓
②活動の振り返り
↓
③協力のお願い

ポイント

総会は、会員全員が集まる機会なので、サークル活動の変遷や最近の活動の概要などを話してもよい。

総会の議題を伝え、協力を呼びかける。

124例
サークル活動でのあいさつ

スピーチする人
40代／女性

サークル活動での会長就任のあいさつ

みなさん、こんにちは。**❶花と緑の景観づくりサークルの会長になりました村本渚と申します。**

❷花と緑の景観づくりサークルは、この山越川市に住み、家庭で花づくりや庭づくりを楽しんでいるメンバーの情報交換を目的として立ち上げられたサークルで、今年で活動を始めて10年の節目を迎えました。SNSにサークルのページを設けて、メンバーが季節ごとの庭の写真を掲載していくうちに活動の幅が広がって、3年前からは山越川市みどりの景観展を市役所で開くほどになりました。わたしは自宅の庭で、バラを育てています。最初はあまりうまく行かなくて困っていたのですが、メンバーから病害虫対策やせん定、肥料などについて教えてもらって、今では近所の方が見に来られるくらいに花が咲くようになりました。花は、人生を豊かにしてくれるものだと実感しています。

❸個人の趣味を基盤にしたゆるやかなサークルですが、今年度も互いに情報交換を続けながら、花づくりや庭づくりをさらに楽しんでいきましょう。

あいさつの構成
①自己紹介
↓
②サークルの紹介
↓
③活動の抱負

ポイント

会長就任にあたって、自己紹介をし、サークルの活動の趣旨や方向性について話す。

サークル活動全体のことだけでなく、自分にとってのサークルの存在意義などについても語ると、より人柄が伝わる。

125例
サークル活動でのあいさつ

スピーチする人
30代／女性

サークル活動の定期総会での年次報告

はじめ　主題・エピソード　むすび

みなさん、こんにちは。❶**「都花市のお米で日本酒を作る会」事務局長の流川です。**早速ですが、「作る会」の活動の年次報告を行います。

❷**昨年度は、会員数230名で活動をスタートしました。**まず、酒米作りについてはお米の生産をしている地元農家の小山さんに、前年と同じ量を依頼しました。次に、6月1日の田植え体験会には、34名の参加がありました。7月に2回実施した雑草取りには、延べ46名が参加してくださいました。そして、11月の稲刈り体験会にはこれまでで最大の55名の会員とそのご家族の参加がございました。参加された会員のみなさんに、あらためてお礼を申し上げます。そして今日、2月4日の立春に定期総会を開催し、総会後には山本酒造さんに依頼して完成したばかりの「みやこばな浪漫」の口開け会となります。ぜひ楽しみにしていてください。

❸**お手元に配った報告書には、会費の収入と支出の詳細および新年度の事業計画と予算を記載しています。**どうぞよろしくお願いいたします。

ポイント

年次報告では、事前に配布した資料を見てもらうことを前提として、要点を簡潔に報告する。

注意点

決算・監査報告や予算提案などは、サークルの会則の規定や慣例に従って報告を行うこととなる。

あいさつの構成

①自己紹介
↓
②活動の年次報告
↓
③報告書の説明

126例
サークル活動でのあいさつ

スピーチする人
50代／男性

懇親会での会長のあいさつ

はじめ　主題・エピソード　むすび

みなさん、こんにちは。フォトサークル日の出会長の清水です。**❶本日は定期総会へのご参加ありがとうございました。たいへんお疲れさまでした。**懇親会の開会にあたり、少々お時間をいただきます。

先ほどの定期総会では、すべての議題を承認していただき、ありがとうございました。総会で承認されたように、**❷今年度は3回の撮影会を計画していきます。撮影場所の希望などあれば、この場で聞かせていただければと思っています。**また、総会のあいさつで紹介した吉高さんの毎朝新聞写真展入選作をはじめ、会員のみなさんにお寄せいただいた「今年の1枚」を会場の側面と後方に飾っています。ご覧いただきながら、お互いの撮影秘話などをお話ししていただければと思います。

❸本日の懇親会は、メンバー同士の親睦を深めるよい機会です。普段の活動であまり話したことがないメンバーの方とも、これを機にお話しください。どうぞよろしくお願いいたします。

あいさつの構成

①参加者へのお礼
↓
②今年度の活動の予定
↓
③参加者へのお願い

ポイント

総会に続いて行う懇親会では、総会への参加のお礼やねぎらいの言葉を伝える。サークルの今後の活動で話しておいたほうがよいことがあれば、提案をする。

注意点

懇親会では、どうしても仲のよいメンバーと話し込みがちだが、せっかくの会員同士の親睦を深める機会なので、いつものメンバー以外とも話をしてほしい旨を伝えてもよい。

127例 サークル活動でのあいさつ

スピーチする人
40代／女性

サークル活動の入会歓迎会でのあいさつ

はじめ

みなさん、こんばんは。室田北吹奏楽サークル世話役の小森敬由と申します。**❶本日は足元の悪い中、入会歓迎会に出席していただき、ありがとうございます。みなさんおそろいですので、入会歓迎会を始めます。**

主題・エピソード

今年度は、3名の新規入会者がいらっしゃいます。立っていただけますか？　左から、石塚元美さん、蓑田孝介さん、吉野川ひかりさんです。3名のみなさんにはのちほど自己紹介をお願いします。まずは、**❷石塚さん、蓑田さん、吉野川さん、「むろすい」へようこそ!!**　なんと3名とも中学からの経験者ということで、コンサートマスターの宇野がとても喜んでいます！　わたしたちは月に2回の個人・パート練と月2回の全体練を基本に活動しています。例年11月に定期演奏会を開催し、アンサンブルで各地のイベント等にも参加しています。

むすび

「むろすい」のモットーは「楽しく、厳しく、美しく」です。仕事を持っている方が多いので練習時間は限られますが、努力と度胸で頑張っていきましょう！　**❸では、石塚さんから自己紹介をお願いいたします。**

ポイント
入会者へ歓迎の気持ちを伝えつつ、サークル活動の概要や今後の参加への期待などを話す。

注意点
入会者の紹介は、後で個別に自己紹介をしてもらう場合は簡単に済ませる。

あいさつの構成
①参加者へのお礼と開会の言葉
↓
②入会歓迎の言葉
↓
③自己紹介を促す

128例
サークル活動でのあいさつ

スピーチする人
20代／女性

サークル活動の入会歓迎会での自己紹介

はじめ　主題・エピソード　むすび

みなさま初めまして。岸町ほのかと申します。**❶本日はわたしのために歓迎会を開いていただき、ほんとうにありがとうございます。**

❷わたしがパッチワーク愛好会に入会しようと思ったのは、高校生のころに手芸クラブに在籍し、パッチワークを含め、いろいろな手芸を顧問の先生から習ってきた経験があり、またやりたいなあと思っていたからです。高校を卒業してからしばらくは手芸から離れていましたが、友だちに誘われて行った先月の展覧会で、菊香野先生のパッチワーク作品を見て、「素敵だなあ」と感激しました。会場にいらした菊香野先生にお声かけしたところ、教室は開いていないけれどお仲間とサークル活動をしているとおっしゃって、熱心に参加を勧めてくださいました。わたしなど恐れ多いと思いながらも、このたび参加させていただくことにしました。ぜひお仲間に加えてください。

❸現在大学2年生で、お金はありませんが時間は比較的ありますので、頑張っていきます。どうぞよろしくお願いいたします。

あいさつの構成
①主催者へのお礼
↓
②入会の理由
↓
③今後の決意

ポイント
歓迎会を開いてくれたことに対して感謝を述べる。サークル入会の理由や、参加することになったきっかけなどを話す。

注意点
自己紹介では、サークル活動に関わる部分でプライベートな経験や現状を伝え、サークル活動に関係ない話は避ける。

129例 サークル活動でのあいさつ

スピーチする人 20代／女性

公民館の発表会での責任者のあいさつ

はじめ　主題・エピソード　むすび

みなさま、こんにちは。わたしは、ダンシンググルーヴⅡ代表の香和村桃子と申します。**❶本日、公民館の発表会で舞台発表の機会をいただけて、とても嬉しく思っています。ありがとうございます。**

❷わたしたちダンシンググルーヴⅡは、近隣の大学生が中心になって立ち上げたダンスサークルで、メンバーは15名です。ふだんは公民館横の図書館の大きなガラス窓の前で、夜間に2時間ほど踊っています。今回、わたしたちのことを耳にした公民館職員の長坂さんが声をかけてくださり、発表会に参加することになりました。舞台での発表に向けて、この2カ月は猛練習してきました。本日の発表は3部構成で、初めに5人編成のヒップホップダンス、次に3人編成のブレイクダンス、そして7人編成のジャズダンスを披露いたします。

❸舞台で踊るのは初めてというメンバーもいますが、若さと勢いでみなさまに楽しんでいただけるダンスができればと思っています。それでは、レッツゴー・ミュージック！

あいさつの構成

①参加への思い
↓
②サークル紹介
↓
③発表の意気込み

ポイント

参加するきっかけをくれた公民館に対してお礼を述べる。

サークル団体を紹介し、発表内容について説明するとよい。

注意点

観客や参加者に好意的に受け止められるよう、言葉づかいや話すときの表情にも気をつけたい。

130例
ボランティア活動でのあいさつ

スピーチする人
30代／女性

高齢者施設慰問のときのあいさつ

はじめ

みなさん、こんにちは。**❶わたしたちは、音楽ボランティアの活動をしている音楽サークル「エコースリー楽団」のメンバーです。**わたしは代表でチェロ担当の村好聖子、ピアノは大の池美沙、バイオリンは明日香由里子の3名です。本日は、短い時間ですが、どうぞよろしくお願いいたします。

主題・エピソード

❷本日は歌と音楽を通じて、「故郷ひだまりの森」のみなさんと交流させていただきたいと思い、伺いました。このところ寒い日が続いていますが、みなさんお変わりありませんか？　歌を歌ったり音楽を聴いたりすることは健康にもとてもよいと言われています。みなさん、歌はお好きですよね？　生活の中に音楽に触れる時間をもつことはとても大切なことだと思います。

むすび

それでは、**❸まず初めにわたしたちの演奏を2曲お聞きいただき、次に事前にいただいたみなさんからのリクエスト曲を3曲演奏します。そのあとで、日本の懐メロを5曲ほど伴奏しますので、みなさんで楽しく歌ってください。**それでは、よろしくお願いいたします。

あいさつの構成
①自己紹介
↓
②慰問の趣旨説明
↓
③プログラムの説明

ポイント
自己紹介の後、活動団体の紹介や慰問の趣旨・目的を説明する。
最後に、当日の活動内容を伝える。

注意点
施設慰問で最も大切なことは、施設利用者に楽しんでもらうこと。ゆっくり明るい調子で話し、一方通行のあいさつにならないように注意する。

131例
ボランティア活動でのあいさつ

スピーチする人
40代／女性

子どもの集まりでのあいさつ

はじめ　主題・エピソード　むすび

❶みなさん、こんにちは！　あれ？　あまり声が聞こえませんね。もう一度、みなさん、こんにちは！　はい、大きな声で返事をしてくれてありがとう！

わたしたちは、「ふるさとお話読み聞かせ隊」として読み聞かせボランティアをしています。**❷隣にいるおねえさんは佐藤田敦子、その隣のもっとおねえさんは八浪紀子、そしてわたしは長津田美穂。あつこ、のりこ、みほ、の3名です。**今日は、どうぞよろしくお願いします！

さて、**❸今日の「ふるさとお話読み聞かせ会」は、わたしたち3人がそれぞれ2冊ずつ、合わせて6冊の絵本やお話を読みます。**みなさんは、絵本を読んだりお話を読んだりするのは好きですか？　はい、半分以上のみなさんが手を挙げてくれました。今日は自分で読むのではなく、お話を聞くという時間を楽しんでください。はじめに『カピバラ姉さんの宝物』という絵本を、続いて『カモノハシの涙』というお話を読みます。本がよく見えるように、近くに集まって座って聞いてくださいね。それでは、始めます。

あいさつの構成
①子どもへのあいさつ
↓
②自己紹介
↓
③活動内容の紹介

人気のボランティア活動①

近年注目のボランティア活動は次のとおり。
【子ども関係】学習支援、子ども食堂、フリースクール、学童・児童館、読み聞かせ、長期休みのキャンプなど
【スポーツ関係】マラソンやオリンピック競技などの大会運営、障害者スポーツの補助、通訳など
【国際協力関係】在日外国人への学習支援、海外で現地支援、市区町村の国際交流、行事での通訳・翻訳など

132例

ボランティア活動でのあいさつ

スピーチする人

30代／男性

清掃ボランティアの一日の終わりのあいさつ

はじめ

みなさま、本日は朝の10時から夕方4時まで、長時間にわたって大浦海岸の清掃ボランティア活動に参加してくださりありがとうございました。❶**「中の浜海岸の環境を守る会」の事務局長として、みなさまに感謝申し上げます。ほんとうにお疲れさまでした。**

主題・エピソード

本日の参加者は88名で、海なし県の埼玉、群馬、栃木、長野から17名が参加してくださいました。泳ぐには早い時期ですが、中の浜の海を堪能していただけたなら幸いです。また、前回から引き続き参加してくださった方は14名もいらっしゃいました。❷**みなさまのご協力の結果として、2トントラック2杯分のごみやペットボトル、空き瓶や缶などを集めることができました。**

むすび

❸**次回の清掃活動は、夏が終わった後の9月中旬を予定しています。SNSを通じてご案内しますので、次回もご協力いただければ幸いです。**このあとささやかなバーベキューパーティーを行いますので、お時間の許す限りご参加ください。本日は、ありがとうございました。

あいさつの構成

①感謝とねぎらいの言葉
↓
②今日の活動報告
↓
③次回の予告

ポイント

参加者へお礼を伝え、活動内容の結果を報告する。次回活動への協力もお願いする。

注意点

ボランティアにおいては、目に見える成果を伝えると、参加者の「参加してよかった」という感想につながりやすい。

133例
ボランティア活動でのあいさつ

スピーチする人
20代／女性

ボランティア活動の忘年会でのあいさつ

はじめ

みなさん、こんばんは。「はじめまして」の方もいらっしゃるので自己紹介します。❶**わたしは殿上晴美と申します。「神々の山をきれいにする会」の活動には、2年前から参加させていただいていますが、今年は仕事が忙しかったので1回だけでした。すみません！**

主題・エピソード

わたしが活動に参加したきっかけは、トレイルランニングの練習会で知り合った林さんにお声がけいただいたことです。林さんは「きれいにする会」の中心メンバーで、近年山歩き人口が増えたこと、その分ごみを持ち帰らない人が増えてしまい、山が汚れ始めているとおっしゃっていました。❷**トレイルランニングで自然の中を走る清々しさと楽しさを感じていた私としては、この環境を守るお手伝いができたらと思い、都合のつくときは参加しています。**

来年わたしは、トレイルランニングのレースにいくつか挑戦しようと思っていて、その練習も兼ねて「きれいにする会」の活動へも参加します！

むすび

❸**みなさん、また来年もよろしくお願いします。今年一年、お疲れさまでした！**

あいさつの構成

①自己紹介
↓
②活動への思い
↓
③ねぎらいの言葉

人気のボランティア活動②

【医療・福祉関係】高齢者施設でのイベント、病院内の車椅子利用者の誘導・介助、施設のガイドなど

【環境・農業関係】ゴミ拾い、人手不足の農業現場支援、雪かきなど

【その他】炊き出し、フードバンク、町・村おこし、災害・被災地支援、保護動物支援、募金活動など

※NPO団体でのボランティアが増えている

134例
県人会でのあいさつ

スピーチする人
60代／男性

県人会での開会のあいさつ

はじめ　主題・エピソード　むすび

みなさま、こんばんは。**❶わたくしは西関東〇〇県人会の幹事を仰せつかっている夏野山静夫と申します。**おかげさまで当初30人ばかりだった会員が、現在では200人近くになりました。

さて、本日は定期総会にご参加いただき、まことにありがとうございます。

❷西関東〇〇県人会では、ふるさと〇〇県からこちら西関東エリアに出てきて活躍されているみなさまと、郷土愛を共有しながら親睦を深め、ふるさとの発展に寄与することを目的として活動しています。わが県人会では今年度、定期総会をはじめ、芸能大会、文化講演会、研修旅行などを予定し、県との共催による〇〇県人新春交歓会に協力してまいります。

❸本日は出席者90名、初参加のみなさまが16名いらっしゃいます。総会後には懇親会を予定しております。懇親会では、地元の最新グルメ試食会を行います。お飲み物も各種ご用意しました。ごゆっくりとご歓談ください。それではみなさま、よろしくお願いいたします。

ポイント

開会のあいさつでは、地元愛を共有すべく、方言でのあいさつもよい。

自己紹介をした後、県人会の趣旨説明や行事内容の説明・案内などをする。

あいさつの構成

①自己紹介
↓
②県人会の説明
↓
③プログラムの説明

コラム　地域活動で使えるワンフレーズの〝決め言葉〟

地域活動でのスピーチは、同じ、あるいは近い共同体内で行われます。仲間意識が強いことはよいのですが、馴れ合いではなく、あいさつはきちんとしましょう。

●スピーチの冒頭にふさわしいフレーズ

本日は◯◯にご参加いただき、まことにありがとうございます。

日ごろから◯◯の事業にご協力いただき、心より感謝申し上げます。

わたくしたち◯◯は、会員相互の親睦を図りながら□□に貢献するという目的を持って活動を行っています。

本日は年に一度の定期総会です。会の活動について報告するとともに、今後の事業についてご審議いただきます。

●スピーチの締めにふさわしいフレーズ

慎重なご審議を、よろしくお願いいたします。

本日の会合が実りあるものとなりますよう、みなさまのご協力をよろしくお願いいたします。

参加されたみなさまと協力しながら、本日の事業を成功させたいと思います。

本日は、一日楽しく過ごしましょう！

第8章

葬儀・法要での
あいさつ・
スピーチ

135例
お悔やみ

スピーチする人
30代／男性

葬儀などでのお悔やみの言葉

はじめ　主題・エピソード　むすび

❶このたびのことは、なんと申し上げてよいか言葉もございません。心からお悔やみ申し上げます。

❷生前、ご主人にはたいへんお世話になりました。3カ月前に病室でお顔を拝見したときは、以前より随分顔色もよくなっていらっしゃいましたし、ご主人も「もう少し頑張ったら退院だから、そうしたらゆっくり飲みたいね」などと笑ってお話しになっていたのに、ほんとうに信じられない気持ちです。快復なさることに疑いはつゆほども持っていませんでしたし、あの時のご主人の笑顔が忘れられません。奥様も長い間のご看病でお疲れのことでしょう。どうかご無理なさらないようお願いいたします。

お子さまたちもさぞお力を落とされていると思います。その深い悲しみをなぐさめる言葉がございません。**❸わたくしで何かできることがあれば、微力ではございますが、お手伝いさせていただきたいと思います。何なりとお申し付けください。**

あいさつの構成
①お悔やみの言葉
↓
②闘病中の様子
↓
③協力の申し出

ポイント
遺族の悲しみに共感を示し、心を込めて静かになぐさめの言葉を伝える。

注意点
長々と語るのは遠慮し、短めのあいさつにする。故人と付き合いが深い場合は、こちらから家族への協力を申し出る言葉を添える。

136例
お悔やみ

スピーチする人
50代／女性

お悔やみへの返礼の言葉

はじめ

❶本日はお忙しい中、おいでいただき、夫のためにお悔やみをいただきまして ありがとうございました。会社のみなさまには、生前中は、ひとかたならぬご厚意をたまわり、深く感謝しております。

主題・エピソード

❷昨年9月に体調を崩してからは、入退院をくり返しておりました。療養期間が長引くにつれ、自分が会社のみなさまに迷惑をかけていることが気がかりでならないようでした。徐々に弱っていく体に、口癖のように「みんなには申し訳ない」と申しておりました。できることなら、快復して自分の口でお詫びしたかったと思います。ただ、もうそれもかないません。みなさまには、ほんとうに申し訳ありませんでした。本人に代わってお詫び申し上げます。

むすび

❸私も覚悟はしているつもりでしたが、いまだに信じられない思いもあります。それでも、残された家族で力を合わせて生きていきたいと思います。みなさまも、どうぞお体にお気をつけてください。本日は、ほんとうにありがとうございました。

あいさつの構成

①お悔やみに対するお礼
↓
②故人の思い出
↓
③今後の決意

葬儀の種類

【宗教ごとの葬儀の意味】

・仏式
宗派によって違うが、多くは故人が極楽浄土へ行くための儀式。

・キリスト教式
死によって、故人が神の元に召されたことを祝福するための儀式。

・神式
「遷霊祭」や「葬場祭」を行って、死のけがれを清める。故人を家に留めて守護神とするための儀式。

137例

弔辞

スピーチする人

60代／男性

小さな葬儀での弔辞

はじめ

❶兄貴、兄貴がもうこの世にいないなんて、俺はどうしても信じられない。この間、正月休みにみんなで集まったときは、あんなに元気だったじゃないか。それが、どうして…？

主題・エピソード

❷兄貴とは年が5歳離れているからか、兄貴はいつも俺のことをかわいがってくれた。どこに行くにも、俺は金魚のフンみたいに兄貴について回っていたから、兄貴の友だちには嫌がられていた。それでもいつも兄貴は俺のことをかばってくれて、「いいんだ。弘樹、付いてこいよ」って言ってくれた。俺はそのとき、なんていうか、すごく嬉しかった。いや、誇らしかった。兄貴が俺のことを認めてくれてる気がしてたから。あれからもう50年以上、ずっと兄貴は兄貴だった。兄貴は、ずっと俺の心の拠り所だった。

当の兄貴もびっくりしてるかもしれないな。なんで俺はこんなところに来ちまったんだって。

むすび

❸まあ、もう少ししたら俺もそっちに行くだろう。それまで待っててくれ。そしたら、また朝まで飲み明かそうぜ。兄貴、またな。

ポイント

身内だけの小さな葬儀の場合は、形式などは気にせず、自分の思いを吐露してもかまわない。

故人への手紙を読むようなスピーチでもよい。

あいさつの構成

①兄への呼びかけ
↓
②兄の思い出
↓
③結びの言葉

138例
弔辞
スピーチする人
40代／女性

同僚代表の弔辞

はじめ　主題・エピソード　むすび

❶会社の同僚を代表して、謹んでお別れのごあいさつを申し上げます。

金子君とは同期入社で、新人研修のときに知り合いました。部署は違っても、同期会で集まるたびに顔を合わせていました。**❷金子君は人を笑わせることに熱心で、飲み会でつまらなそうにしている人がいると、必ず自分から声をかけて最後にはその人を笑顔にしてくれる、そんな心の温かい人でした。**だから取引先の方からもかわいがられていたのでしょう。同期の中では、最初に役職につきました。半年前、金子君が入院していると聞き、同期数人でお見舞いに行ったときも、金子君を励ましに行ったわたしたちが励まされて帰ってくる始末で、お見舞いなのに同期みんなが笑顔になって病院を後にしました。それなのに、こんなに早くお別れすることになってしまうなんて信じられません。

あなたの笑顔がもう見られないと思うと、とても寂しいです。**❸でも、人を笑顔にするのが好きだったあなたのためにも、わたしたちは前を向いていきます。心よりご冥福をお祈りいたします。**

あいさつの構成
①はじめの言葉
↓
②故人の思い出
↓
③別れの言葉

弔辞とは

①弔辞は、正式には大判の巻紙か奉書紙に、薄墨の毛筆で書く。宗教・宗派によって禁句があるので注意。神式・キリスト教式では仏式用語「供養」「成仏」「冥福を祈る」「他界」などを使用しない。
②書いた弔辞を折りたたみ、上包み用の紙に包む。
③表書きとして、中央上部に「弔辞」、その下に姓名を書く。
④弔辞は、読み上げた後は祭壇に供える（遺族のもとで保存する）。

139例
弔辞

スピーチする人
30代／女性

友人代表の弔辞

はじめ　主題・エピソード　むすび

❶亜美ちゃん。亜美ちゃんの突然の訃報に、わたしはいまでも信じられない思いです。あんなに幸せそうだったあなたが、こんなにも早く逝ってしまうなんて想像もしていませんでした。

❷ご主人の桜庭さんを、高校からの親友の亜美ちゃんに紹介したのは、わたしです。桜庭さんと会社の同僚だったわたしが桜庭さんを紹介した日、亜美ちゃんが「ピンと来たの！　わたし、桜庭さんと結婚すると思う！」と高揚した顔で言うので驚きました。でも、それからわずかな期間で結婚することになって、さらに驚きました。お互い結婚してからは、亜美ちゃんとご主人、わたしたち夫婦の4人でよく出かけましたね。おいしいものを食べに行ったり、美術館に出かけたり、映画を観に行ったり……。そのどれを思い出しても、亜美ちゃんの幸せそうな笑顔ばかりが浮かんできます。

❸残されたご主人のことは、わたしたち夫婦が微力ながら支えていきたいと思います。亜美ちゃん、どうか安らかにおやすみください。

あいさつの構成
①訃報を聞いての気持ち
↓
②故人の思い出
↓
③別れの言葉

ポイント
友人として故人を偲び、エピソードを思い出深く語る。
残された者の決意を語り、故人の冥福を祈る。

注意点
浄土真宗の場合は「亡くなった瞬間に故人の魂は極楽浄土に行く」と考えられているので、「冥福を祈る」や「御霊前」という言葉は控える。

スピーチする人
40代／女性

恩師への弔辞

はじめ

❶高山先生のご逝去を悼み、南里大学日本文学科の教え子を代表して謹んで哀悼の意を述べさせていただきます。

わたくしは、先生には学部生のときから院生まで6年間ご指導いただきました。**❷日ごろ、とても温和な先生でいらっしゃいましたが、研究発表の折には、たいへん厳しいご指摘をなさることで有名で、発表の前の晩は胃が痛く眠れなかったことを覚えています。**先生は文学研究を通して、わたくしたちにつねに自分の生き方・あり方を問うように求めていらっしゃいました。しかしそれは、先生ご自身がそうでいらしたからであり、その真摯な姿勢にいつも敬服しておりました。長期の休みの折には、ゼミ生全員で先生のお宅に伺うのが恒例行事でした。先生は奥様とともににこやかに迎えてくださり、食卓を囲んで楽しいひとときを過ごしたことも思い出されます。

主題・エピソード

❸不肖の弟子であったこと、たいへん申し訳なく思っています。どうぞ安らかに、永遠の眠りにつかれることをお祈りいたします。

むすび

あいさつの構成

①はじめの言葉
↓
②恩師の思い出
↓
③別れの言葉

ポイント

教え子の立場で、故人の人柄やエピソード、生前の業績などについて話す。

故人から受けた影響や教えについて触れ、自分にとってどれほど大切な人であったかを語る。

141例 通夜でのあいさつ

スピーチする人
40代／男性

通夜での世話役のあいさつ

はじめ

❶本日はお足元の悪い中、故・本塚寧君の通夜にお越しいただきありがとうございます。わたくしは、故人とは小学校からの友人の木根と申します。世話役を仰せつかり、ご遺族に代わりましてごあいさつ申し上げます。

主題・エピソード

❷故人は職場で倒れてから9カ月間、療養生活を続けていましたが、1週間前の4月8日に永眠されました。享年50歳でした。塚本君は、小学校の教師として熱心に子どもたちの教育に携わっていました。かわいい子どもたちを残してこの世を去ることとなり、さぞ無念でしょう。道半ばで倒れたことで、奥様をはじめご遺族の方々の悲しみはいかばかりかとお察しいたします。故人が生前にたまわりましたご厚誼に、故人に変わりまして感謝申し上げます。あわせて今後もご遺族への変わらぬご助力をあらためてお願い申し上げます。

むすび

❸今宵は、ささやかながらお食事をご用意しました。故人を偲びつつ、お召し上りください。なお、明日の葬儀は10時からとなっております。本日は、まことにありがとうございました。

あいさつの構成

①会葬者へのお礼
↓
②闘病中の様子
↓
③通夜ぶるまいの案内

世話役の仕事内容

- 受付係…弔問客の応対や香典・供物の受け取り、芳名帳の管理をする。
- 進行係…式をスムーズに進行させる。
- 会計係…香典の管理や喪家から預かったお金の出納を管理する。
- 接待係…通夜ぶるまいのセッティングを行う。
- 式場係…弔問客の誘導、会葬御礼やお礼状の配布などを行う。
- 案内係…最寄駅や交差点に立って式場へ案内したり車の誘導をしたりする。

スピーチする人
30代／女性

若くして夫を亡くした妻(喪主)のあいさつ

❶本日は突然のことにもかかわらず、夫・真木憲一の葬儀・告別式にご参列いただきまして、まことにありがとうございます。

主人は先月、帰宅途中に事故に遭いました。1週間ほど生死の境をさまよっていましたが、帰らぬ人となってしまいました。**❷夫とは大学時代に同じテニスサークルで、卒業後にOB会で顔を合わせるようになってから、自然とお互いを必要とするようになりました。**彼は頼りがいのある人で、一昨年結婚し、一人息子にも恵まれ、ほんとうに幸せな日々を送っていたのに、なぜなのでしょう。主人はいつもの時間、いつもの道を歩いていただけなんです。それなのに、車同士の事故に巻き込まれてしまいました。まだとても気持ちの整理をつけられるような状況ではなく、とりとめのないことを申してしまいました。

❸彼を失った悲しみは永遠に消えませんが、私にはこの子がいます。息子のためにも前を向いていきます。最後にみなさまのご健康と幸せを心よりお祈りいたします。本日はお見送りいただきまして、ありがとうございました。

あいさつの構成

①会葬者へのお礼
↓
②故人の思い出
↓
③今後の決意

ポイント

突然夫を亡くした混乱の中のあいさつなので、無理に気丈にふるまう必要はないが、今後は前向きに生きる意志があることを述べると、参列者も安心できる。

143例
葬儀・告別式でのあいさつ

スピーチする人
70代／女性

高齢の夫を亡くした妻（喪主）のあいさつ

はじめ　主題・エピソード　むすび

❶本日は、あいにくのお天気の中、亡き夫・光彦の告別式にご参列、ご焼香いただきまして、まことにありがとうございました。おかげさまで、つつがなく式を終えることができました。一言ごあいさつを申し上げます。

❷主人は昔から医者嫌いで、入院当初は「こんなところ、すぐに出てやる！」と憎まれ口を叩いていたのですが、入院生活が長くなるにつれ、徐々に弱気になっていきました。そんな主人を、主治医の先生はいつも笑顔で励ましてくださいました。主人だけではありません。わたくしも先生にどれだけ励まされたか。先生がいてくださったおかげで、心強くいられました。主人が亡くなってすぐ、先生が「ご主人から奥様に『ありがとう』と伝えてほしいと頼まれました」とおっしゃいました。そんなことを先生に頼むなんて、「昭和の男」の代表のような主人らしいなと思いました。

❸本日お集まりのみなさま方には、生前はたいへんお世話になりました。故人に代わりまして心よりお礼申し上げます。本日はありがとうございました。

あいさつの構成

①会葬者へのお礼
↓
②入院中のエピソード
↓
③結びの言葉

焼香の手順

通夜・法事では線香を立て、葬儀・告別式では抹香を焚く。

①（数珠は左手にかけたまま）焼香台の右前にある抹香を右手の親指・人差し指・中指でつまむ

②目の高さまで捧げる

③左前の香炉の中に落とす

※①〜③の動作を数回繰り返す（2回目以降は目の高さまでは捧げない）。

※焼香の回数は宗派によって異なる。一般の弔問客の場合は、1〜2回行う。

144例
葬儀・告別式でのあいさつ

スピーチする人
50代／男性

父親を亡くした長男（喪主）のあいさつ

はじめ　主題・エピソード　むすび

❶みなさま、本日は亡き父・孝太郎の告別式にお集まりいただきまして、まことにありがとうございました。心のこもった弔辞をいただき、深く御礼申し上げます。

父は去る2月11日、肺炎のために77歳の生涯を閉じました。**❷父は、野球が大好きな人でした。小学生のチームの監督をやっていて、その影響でわたしも野球を始めました。**練習がない日でも二人でキャッチボールをし、父が投げるボールがやたらと痛かった記憶があります。一時期、チームを離れていた時期もありますが、退職後、再び現監督にお声がけいただき、毎週のように子どもたちの姿を見に学校に行っていました。入院してからは、チームの子どもたちが練習帰りに顔を見せてくれるのを心待ちにしていた姿が今でも目に焼き付いています。子どもたちが、野球が、心から大好きな人でした。

❸これまでのご厚誼に、心より感謝申し上げます。最後になりますが、みなさま方のご健康とご多幸をお祈りし、ごあいさつとさせていただきます。

あいさつの構成
①会葬者へのお礼
↓
②父親の思い出
↓
③結びの言葉

ポイント
自分にとって、最も心に残っている父親のエピソードを語る。
会葬のお礼とともに、生前お世話になった方々へのお礼を丁寧に述べる。
最後に列席者の健康と多幸を祈って結びの言葉とする。

スピーチする人
50代／女性

母親を亡くした長女(喪主)のあいさつ

はじめ　主題・エピソード　むすび

❶本日はお忙しい中、母・映子のためにお集まりいただきまして、まことにありがとうございます。母もきっと喜んでいることと思います。

母は10日未明、皆藤ホームで息を引き取りました。先週、92歳の誕生日を迎えたところでした。**❷母は昔の人……と言ったら母に怒られるのですが、朝は誰よりもはやく起きて朝ごはんを作り、夜は片付けなどをして誰よりも遅く寝る、そういう人でした。**80歳を迎えるころまで、そういう生活ができていたことが、母の何よりの自慢でした。ですから、徐々に介護が必要となってくると、「すまないねえ」が口癖になっていきました。母がわたしたち家族にしてくれたことを考えると、これくらいの介護は当たり前のことなのに、周りの人に迷惑をかけているというのが申し訳なかったようです。

❸母の生前、ともに介護に尽力してくださったみなさまには、深くお礼申し上げます。母の介護をしながら、わたしも母との時間を大切に過ごせました。ありがとうございました。

あいさつの構成

①会葬者へのお礼
↓
②母親の思い出
↓
③結びの言葉

ポイント

会葬者へのお礼と、生前お世話になった方へのお礼を述べる。

長寿を全うした場合は、とくに死因に触れる必要はない。

注意点

実際、長い介護で大変なこともあったとしても、ここでは触れずに、淡々と気持ちを述べる。

スピーチする人
50代／男性

子どもを失った父親（喪主）のあいさつ

はじめ　主題・エピソード　むすび

❶本日は、息子・大樹の葬儀にご参列いただきありがとうございます。このように大勢のお友だちが来てくださって、大樹も喜んでいると思います。

❷大樹は、大腸がんのため29歳の生涯を閉じました。病気がわかってから半年しか経っておらず、わたしも家内もまだ呆然として、気持ちの整理がつきません。一人暮らしをしている息子の体調は、いつも案じておりましたが、このような病気になるとは……。わたしたちは、年に一度、息子が帰省してくるのを楽しみにしていましたが、これからはそれもないんですね。今日、このようにみなさまが集まってくださって、息子の知らなかった一面を見た気がします。神経質な一面があったので、友だち付き合いなど苦手だろうと思っていました。それが、このように多くのお友だちが来てくださって、きっとまだ知らない息子の一面があったのでしょう。それを知ることがかなわないのが寂しいです。

❸みなさまには、大樹のことをずっと覚えておいてほしい。勝手な親の願いです。本日はありがとうございました。

あいさつの構成

①会葬者へのお礼
↓
②闘病中の様子
↓
③結びの言葉

献花の手順

①棺の前に進み、遺族に一礼して花を受け取る。右手で花弁を下から支え、左手で茎を上からつまんで持つ。

②献花台の前で一礼し、手前に花弁がくるよう九十度回転させ、献花台に花を捧げる。

③その場で短く黙祷した後、軽く一礼する。

④遺族に一礼した後、自分の席へ戻る。

147例
葬儀・告別式でのあいさつ

スピーチする人
60代／男性

きょうだいを亡くした弟のあいさつ

❶本日はお忙しい中、兄・啓介の告別式に参列をたまわり、ありがとうございました。

兄は10年という長い闘病生活を経て、先週、70歳で亡くなりました。70歳というと、今は「若い」部類になると思いますが、彼の10年間の闘いは、傍で見ていても大変なものでした。だから、わたしは心から言いたい。「兄貴、ほんとうにお疲れさま。ゆっくり休んでくれよ」と。わたしは、兄が病床で苦しんでいる姿を見るのが心底つらかった。それでも、いちるの望みを持って見舞いに行くと、そこにはいつも光枝さんがいて穏やかな笑顔で兄に接してくれていました。ほんとうはつらかっただろうに。**❷家族の存在がこんなにもありがたいものだということを、光枝さんは教えてくれました。兄は幸せ者だったと思います。光枝さん、お疲れさまでした。貴一郎くんも、ほんとうにありがとう。**

❸これから二人が前を向いて行けるよう、みなさまのお力添えをどうぞよろしくお願いいたします。本日はありがとうございました。

あいさつの構成

①会葬者へのお礼
↓
②兄家族へのお礼
↓
③結びの言葉

ポイント

兄の闘病生活の様子を伝えるとともに、兄を長年献身的に支えてくれた家族へお礼を述べる。

参列者へ、残された遺族への支援をお願いして結びの言葉とする。

注意点

身内だけ、ごく親しい人だけの葬儀、たとえば火葬場で直葬を行うときは「故人の希望で」などとその理由を伝える。

148例
葬儀・告別式でのあいさつ

スピーチする人
70代／男性

一日葬での喪主のあいさつ

はじめ

❶みなさま、本日はご多用中、おいでいただきありがとうございます。

静恵は、親子三代、生まれも育ちもこの葛飾で、ちゃきちゃきの江戸っ子です。ですから、親族はもちろん、この地にたくさんの友人・知人のみなさまがいます。彼女が自分の旅立ちを意識しはじめてから、自分の葬儀についての希望を口にするようになりました。

主題・エピソード

❷わたしと智春のことを考えると負担となる葬儀にはしたくない、でもできれば仲よくしてくださったみなさまに見送られたい、そんなことが彼女の枕元の紙に書かれてありました。それで、静恵の葬儀は一日葬というかたちをとらせていただきました。みなさまには、かえってご負担となったかもしれませんが、どうぞご理解ください。そして、このように多くの方が見送ってくださって感謝いたします。静恵も本望だと思います。

夫のわたしが言うのもなんですが、静恵はとても思いやりのある素敵な女性でした。

むすび

❸こんなわたしと一緒になってくれて、心から感謝しています。静恵、ありがとう。安らかに眠ってください。

あいさつの構成

①会葬者へのお礼
↓
②故人の葬儀への希望
↓
③故人への言葉

一日葬

お通夜と告別式を二日にわたって行うスタイルではなく、お通夜を省いて告別式・火葬を一日で終わらせる葬儀のこと。

【メリット】
・通夜がない分、遺族の慌ただしさを軽減できる
・費用（通夜にかかる費用や親族の宿泊代など）を抑えられる。

【デメリット】
・時間が限られているため、参列者が少なくなる
・親族や菩提寺にはよく思われないこともある。

149例
葬儀・告別式でのあいさつ

スピーチする人
70代／女性

樹木葬での喪主のあいさつ

はじめ　主題・エピソード　むすび

❶遺族を代表して、わたくしから謹んでごあいさつさせていただきます。本日はご多用中、夫の告別式にお運びくださり、ありがとうございます。

60代に入り、そろそろわたくしたち夫婦のお墓をどうするか考えなければと思っていたとき、友人から「樹木葬」というものがあると教えてもらいました。最初、夫は「葬式の話なんて縁起でもない」と話を聞いてくれませんでした。でも、自分の友人が亡くなって葬儀に参列する機会が徐々に増えてきたことから、あまり遠い話ではないと思ったようです。わたくしたちの両親の墓は、それぞれの出身地にございます。子どもたちに縁のない土地に墓を作るのもどうかと思いましたし、やはり墓参りには来てもらいたいという親の思いもございまして、できるだけ近い場所で選ぶことにしました。**❷結果、のちのち子どもたちの負担にならないよう、「樹木葬」というかたちをとることに決めました。**

❸ご覧のとおり、素敵な場所です。ここなら、先に逝った夫も心安らかにわたくしを待っていてくれると思います。本日はありがとうございました。

あいさつの構成

①会葬者へのお礼
↓
②樹木葬の理由
↓
③結びの言葉

注意点

「樹木葬」という、なじみのない葬儀のかたちに戸惑う参列者がいそうな場合は、樹木葬とは何か、この形式を選んだ経緯などを説明する。

150例
葬儀・告別式でのあいさつ

スピーチする人
60代／男性

海洋散骨での喪主のあいさつ

はじめ　主題・エピソード　むすび

❶本日は、妻・伊織のためにお集まりいただき、まことにありがとうございました。一言、ごあいさつさせていただきます。

跡継ぎとなる子どものいないわたしたち夫婦にとって、お墓のことはとても重要なテーマでした。一時は郊外に永代供養のお墓を作ろうと、いくつかお寺を見に行ったのですがいまいちピンと来ませんでした。**❷すると伊織が「遺骨は海にまこう！」と言い出しました。実は、わたしたちは学生時代、二人とも貧乏旅行のバックパッカーで、地中海のクルーズ船の上で出会ったのです。**「どうせなら、その時の思い出を胸にトシ君の遺骨をまくのもいいね」なんて憎まれ口をたたいていた伊織が、突然天に召されました。

友人のみなさんが一緒に来ると言ってくださり、船に慣れない方もいらっしゃるとは思いましたが、そのお声に甘えることにしました。**❸やはり一人で伊織を送るのは寂しすぎるから……。みなさんが一緒に伊織の希望をかなえてくださって嬉しいです。**本日はありがとうございました。

あいさつの構成

①会葬者へのお礼
↓
②故人の思い出
↓
③結びの言葉

海洋散骨

「海洋散骨」とは、通常お墓に入れる遺骨を海に散骨する埋葬方法の一つ。

①方法
・火葬した後の焼骨を粉末にし、船で散骨ポイントまで行って散骨する。

②メリット
・主に都市部における墓不足や墓の継承問題を解決することができる。
・墓を建てる費用や、その後の管理・維持にかかる費用や手間が不要。

151例
精進落としでのあいさつ

スピーチする人
70代／女性

精進落としでの妻からのお礼のあいさつ

はじめ

みなさま、本日はたいへんお疲れさまでございました。一言ごあいさつさせていただきます。夫が逝ってから、ただただ呆然とするばかりのわたくしでしたが、**❶こうして葬儀一切を滞りなく済ませることができましたのも、ひとえにみなさま方のお力添えのおかげです。みなさまからたまわりましたご厚情に、心から感謝申し上げます。**おかげさまでわたくしの気持ちも、やっと少し落ち着きました。

主題・エピソード

さてみなさま、さぞお疲れのことでございましょう。**❷ささやかではございますが、わたくしどもからの感謝の気持ちといたしまして、精進落としの膳を用意させていただきました。**お時間の許す限り、夫の思い出話などしながらお召し上がりください。

むすび

❸なお、お帰りの際は、お手荷物になりますが、心ばかりのものをご用意しておりますのでお持ちください。あらためまして、本日は長い時間、ありがとうございました。

あいさつの構成

①関係者へのお礼
↓
②精進落としの案内
↓
③連絡事項

ポイント

葬儀が滞りなく終えられたことに対して、関係者へお礼を伝える。

注意点

葬儀を終えてみな疲れているところなので、あいさつは手短に。

喪主は、各人の席をまわって、個々にお礼を述べるとよい。

152例
精進落としでのあいさつ

スピーチする人
50代／男性

精進落としでの子どもからのお礼のあいさつ

あいさつの構成
①関係者へのお礼
↓
②関係者へのお詫び
↓
③精進落としの案内

はじめ

❶本日は、ご住職をはじめ、初七日法要まで、みなさまには長時間ご参列いただきましてありがとうございます。父の葬儀にご助力いただきましたこと、葬家を代表してお礼申し上げます。

主題・エピソード

父が家族に見守られながら息を引き取ってから、それほど間を待たずに葬儀の準備を始めました。通夜から葬儀・告別式、初七日法要まで、あっという間の出来事だったように感じます。あまりの慌ただしさに、深く悲しむ時間もありませんでしたが、今、ここに来て、ほんとうに父はいなくなってしまったのだなあと実感が出てきたところです。**❷なにぶんわたくしにとってはすべてが初めてのことでしたので、喪主として至らない点も多々あったかと存じます。お許しください。**

むすび

❸みなさまへの感謝の気持ちとして、粗餐ではございますが用意させていただきました。お酒も十分に用意しています。父の思い出話などを語り合っていただきながら、どうぞゆっくりなさってください。

ポイント
関係者へ、長時間の参列にお礼を述べる。
不行き届きの点があったと思われる場合は、お詫びの気持ちも伝える。

注意点
「粗餐（そさん）」とは、粗末な食事のことだが、参列者へ勧める食事についてへりくだっていう謙譲語。「ささやかな食事」と同じ意味。

153例 精進落としでのあいさつ

スピーチする人 50代／男性

友人を代表しての献杯あいさつ

はじめ

わたくしは、芳雄君の友人の平と申します。**❶奥さまをはじめご家族、ご親族のみなさまに、心よりお悔やみを申し上げます。**

主題・エピソード

このたびは、突然の訃報にたいへん驚きました。**❷芳雄君とわたくしは、高校時代、同じテニス部に所属していました。このたびのこと、仲間はみな一様に驚き、悲しみに暮れています。**一方で、奥さま、ご家族さまは、本日の葬儀が終わるまで、気丈にふるまわれていました。きっと、その胸のうちに悲しみを隠されているのだとお察しいたします。これから、何かわたくしどもがお役に立てることがございましたら、なんなりとお申し付けください。

むすび

それでは、ご指名により、献杯の発声を務めさせていただきます。お手元にグラスはございますか。

❸では、高槻芳雄君のご冥福をお祈りし、あわせて本日ご臨席のみなさまのご健康を祈念申し上げて、「献杯」。

ありがとうございました。

あいさつの構成

①お悔やみの言葉
↓
②故人とのつながり
↓
③献杯の発声

香典の出し方

・いつ出すか

通夜か葬儀に出席するときに持参する。両方に出席する場合は、通夜のときのみ持参する。

・どこに出すか

受付で出す場合と祭壇へ供える場合がある。「このたびは御愁傷様です」「御霊前にお供えください」など一言添えて。

・持参できない場合

お悔やみの手紙を添えて郵送してもよい。現金を直接入れるのではなく、不祝儀袋に入れて出す。

154例
法要でのあいさつ

スピーチする人
60代／女性

四十九日法要での施主（妻）のあいさつ

はじめ　主題・エピソード　むすび

❶本日はお忙しい中、夫・貴教の四十九日の法要にお集まりいただき、ありがとうございます。おかげさまで、本日、無事、納骨を済ませることができました。

❷夫が亡くなってから、いままで、わたしはずっと夢の中にいるような気分でした。わたしたちは、毎日顔を突き合わせていてもあまり会話もないような夫婦でしたが、夫がいないことがこんなに寂しいことなのかと、自分でも驚いています。彼がいない日々に慣れる日なんて来るのでしょうか。まだ心の整理がついていません。でも、今日の法要を、一つの区切りにできたらと思っています。こんなわたしのことを心配して、息子はしょっちゅう家に顔を出してくれます。それに一緒に連れてきてくれる孫の愛らしい顔を見ると、元気が出る気がします。こんなふうに支えてくれる人たちがいることに感謝します。

❸ささやかですが食事の用意をいたしました。どうか故人を偲んで、ゆっくりお召し上がりください。本日はありがとうございました。

あいさつの構成

①参列者へのお礼
↓
②ひと月経った感想
↓
③食事の案内

忌日法要

・初七日法要…本来、死後七日目に行うが、近年は参列者の負担を軽減するため葬儀当日に併せて行うことが多い（「繰り上げ初七日法要」という）。

・四十九日法要…命日から七日ごとに行われる忌日法要の四十九日目に行われる法要（「七七日（なななのか）」や「忌明け」とも）。

・納骨法要…お墓や納骨堂がある場合、納骨は一般に四十九日法要の日に実施される（納骨は三回忌までに行われる）。

155例 法要でのあいさつ

スピーチする人
60代／男性

一周忌法要での施主(夫)のあいさつ

はじめ　主題・エピソード　むすび

❶本日はたいへんお忙しい中、亡き妻・みゆきの一周忌法要に足をお運びいただき、ありがとうございます。生前懇意にしていただいていた仲旅クラブのみなさまもたくさんいらしてくださり、妻もさぞ喜んでいることと思います。

❷妻亡き後、季節がめぐってくるごとに、彼女が残した旅行の写真を眺めて過ごしてきました。妻はご存じのとおり、旅先で写真を撮るのが好きでした。春は桜の花吹雪が舞う温泉街、夏は涼し気な渓谷、秋は見事な紅葉の山々、冬は一面の雪景色……。妻がカメラに収めてきた景色をたどりながら、妻を偲んでまいりました。今、ようやく1年が経ったのだなあと実感しています。みなさまがこの1年、私を気遣い、励ましてくださったことに感謝申し上げます。今後とも変わらぬお付き合いをしていただけますよう、お願い申し上げます。

❸大したおもてなしもできませんが、心ばかりのお食事を用意いたしました。お時間の許す限り、どうぞおくつろぎくださいませ。本日はありがとうございました。

あいさつの構成
①参列者へのお礼
↓
②妻の思い出
↓
③食事の案内

ポイント
参列者へ、列席のお礼とこの1年の気遣いに感謝の意を伝える。
妻を亡くしてからの心境を語りながら、故人を偲び、1年が経ったことについての感想を述べる。

156例 法要でのあいさつ

スピーチする人 70代／男性

三回忌法要での施主（夫）のあいさつ

はじめ　主題・エピソード　むすび

❶**本日は、妻の三回忌法要においでいただきましてありがとうございます。**今日、久しぶりにみなさんのお顔を拝見できて、とても嬉しいです。にぎやかなのが好きだった妻は、ことのほか喜んでいると思います。

妻が亡くなったのは2年も前のことなのに、昨日のことのように感じることもあります。亡くなってからしばらくは、心にぽっかり穴が開いたようで、自分でもその状態がなんだかよくわかりませんでした。❷**でも毎日、妻の遺影に向かって手を合わせているうちに、徐々に頭がはっきりしてきました。今は、何かあれば妻に報告しており、わたしにとって妻への報告は日記代わりになっています。**妻が亡くなってから、みなさんには温かく見守っていただき、ときに励ましていただき、ほんとうにありがとうございます。

❸**気持ちばかりのお膳でございますが、ご用意いたしました。ゆっくりお召し上がりください。みなさんの近況や、妻の思い出話なども聞かせていただければ幸いです。**

あいさつの構成

①参列者へのお礼
↓
②近況の報告
↓
③食事の案内

香典の表書き（例）

参列する葬儀の宗教儀式に合わせて書く。

・仏式…御霊前（浄土真宗は「御仏前」）、御悔、御香典、御香料

※四十九日法要後は「御仏前」

・キリスト教式…御花料、御ミサ料（カトリック）、献花料（プロテスタント）

・神式…御神前、御玉串料、御榊料、御饌料

※不明な場合は、一般的な「御霊前」にする。

157例 法要でのあいさつ

スピーチする人 50代／女性

三回忌法要での長女のあいさつ

はじめ　主題・エピソード　むすび

❶娘のとし子です。 本日はご多忙のところを、母の三回忌の法要に参列いただき、まことにありがとうございました。父に代わり、わたくしから一言ごあいさつを申し上げます。 みなさまには、日ごろから、父とわたくしにお心遣いをいただきまして、心より感謝しています。

❷母が亡くなってから早2年。母は専業主婦ということもあってか、とにかく家族の健康を第一に考える人でした。 とくにうるさかったのは食事です。朝、出勤前で寝坊したときでさえ、朝食を抜こうものなら烈火の如く怒り、遅刻してでも食べさせられました。ですから、父とわたくしの二人になってからは、料理が苦手な父も包丁の使い方から勉強して、今ではわたくしよりもおいしい食事を作れるほどの腕前になりました。

❸母が常に気にかけてくれていた健康、この健康こそが最も大切なものです。みなさまもどうぞお体にはお気をつけくださいませ。 本日は、ありがとうございました。

あいさつの構成

①自己紹介と参列者へのお礼
↓
②母親の思い出
↓
③結びの言葉

ポイント

施主に代わってあいさつする場合、その旨を付け加える。

三回忌なので、悲しみが落ち着いている状態であれば、明るい調子で話してもよい。

158例
法要でのあいさつ

スピーチする人
60代／女性

七回忌法要での施主（妻）のあいさつ

はじめ　主題・エピソード　むすび

❶本日はご多用中にもかかわらず、夫・秀和の七回忌の法要にご参会くださいまして、まことにありがとうございました。

夫が亡くなったのは65歳のときでした。**❷会社勤めのときは多忙で、長期の海外出張などもありましたため、「退職してから妻孝行をするよ」が夫の口癖でした。**わたしが退職したら二人で日本各地の温泉をめぐる旅をしようと計画していましたが、それはかなうことなく、あっけなく逝ってしまいました。その後一度、計画していた温泉旅行に一人で行ったのですが、隣にいるはずの人がいないことばかりが気になり、あまり楽しめませんでした。その話を娘にしたら、「お父さんが妻孝行できなかった分、わたしが親孝行するから」と、旅行に連れ出してくれるようになりました。それからは、隣にいない夫ですが、心の中では連れ添い、一緒に旅行を楽しんでいます。

❸みなさまお疲れでしょう。心ばかりではございますが、お食事の用意をしています。ゆっくり召し上がりながら、みなさまの近況もお聞かせください。

あいさつの構成
①参列者へのお礼
↓
②夫の思い出
↓
③食事の案内

年忌法要

・一周忌は故人が亡くなってから満1年目、三回忌は満2年目の命日に行われる。いずれも大規模に行われるのが一般的。
・七回忌は満6年目、十三回忌は満12年目、十七回忌は満16年目、二十三回忌は満22年目、二十七回忌は満26年目に、遺族のみで供養される。
・三十三回忌は満32年目に遺族のみで供養され、「弔い上げ（最後の年忌）」とするのが一般的。

159例
法要でのあいさつ

スピーチする人
40代／男性

七回忌法要での長男のあいさつ

はじめ

❶本日は、亡き父・孝蔵の七回忌法要に、たくさんのみなさまにお集まりいただきました。厚くお礼を申し上げます。母に代わり、一言ごあいさついたします。

主題・エピソード

父のことをたまに思い出すのですが、よく思い出すのは、小学生のころ、夜遅くに飲んで帰ってきた父が、とても機嫌がよく、楽しげだった様子です。❷**父は昔から人付き合いが好きで、会社帰りに一杯飲んで帰ってくることが多く、それは退職してからも変わらずで、何か理由をつけて友だちと飲みに出かけていました。**子ども心に、そんなにお酒っておいしいのかな、楽しいのかなと思っていました。でも、今日、七回忌にもかかわらず会社の元同僚の方や近所の方など、父を偲ぶために足を運んでくださった方の多さに、父はみなさま方と一緒に飲んで、楽しいときを過ごしていたんだなあと感じました。

むすび

❸今日は、久しぶりにお顔を合わせた方も多いと思います。ゆっくりご歓談ください。本日は、ありがとうございました。

ポイント

参列してくれた方へお礼を述べる。

七回忌は故人の死から6年が経過しているので、悲しみよりも、懐かしい故人のよい思い出を語り、参列者にも故人を偲んでもらう。

あいさつの構成

①参列者へのお礼
↓
②父親の思い出
↓
③結びの言葉

スピーチする人
50代／女性

十三回忌法要での施主（妻）のあいさつ

はじめ　主題・エピソード　むすび

❶みなさま、本日はたいへんお寒い中を、亡き夫のためにお集まりいただきまして、まことにありがとうございました。おかげさまで、十三回忌の法要を無事執り行うことができました。

❷夫が急逝してから、今日まで無我夢中でした。夫の分もわたしが子どもたちを立派に育てて行かなければならないと、ただそれだけを考えて生きてきました。当時、高校生と中学生だった子どもたちは、そんなわたしのことを一生懸命支えてくれました。わたしが落ち込んでいるとそのたびに笑顔で励ましてくれ、どちらが親なのかわからないなと思ったことも一度や二度ではありません。おかげさまで彼らも立派に成長し、それぞれの人生を歩んでいます。この姿を見て、夫もきっと喜んでくれていると思います。

お疲れのところとは存じますが、心ばかりの食事を用意しています。どうぞゆっくりくつろいで、お召し上がりください。**❸今後ともみなさまの変わらぬお力添えをよろしくお願い申し上げます。**本日はありがとうございました。

あいさつの構成

①参列者へのお礼
↓
②これまでを振り返っての感想
↓
③今後のお願い

ポイント

十三回忌を無事終えられたことについて、参列者へお礼を述べる。

夫を亡くしてからの人生を振り返り、子どもがいる場合は子どもの成長に感謝するとともに、参列者へ今後の力添えをお願いして結ぶ。

161例
法要でのあいさつ

スピーチする人
30代／男性

十三回忌法要での長男のあいさつ

はじめ　主題・エピソード　むすび

❶みなさま、本日は遠方から、亡き父・太郎の十三回忌の法要に足をお運びくださり、まことにありがとうございます。たいへんご無沙汰をいたしましておりますが、こうしてみなさまのお元気そうなお姿を拝見でき嬉しく思います。父もまた、みなさまにお会いできて喜んでいることでしょう。

父が亡くなったのは、わたしが大学生のときでした。突然の別れに、悲しみよりも驚きのほうが大きかった気がします。**❷一家の大黒柱を失った母のことが心配で、それまで親に甘えてばかりだったわたしもあのときから変わったと思います。父の代わりに、母をしっかり支えなければと心に決めました。**あれから丸12年が経って、なんとか自分で食べていけるくらいには大人になったので、母の肩の荷は少し下りたのではないかと思っています。

❸みなさまには、この間、何かにつけてわたしたち家族を支えてくださって、ほんとうにありがとうございました。今後とも末永くお付き合いのほど、よろしくお願い申し上げます。

あいさつの構成
①参列者へのお礼
↓
②父が亡くなったときのエピソード
↓
③今後のお願い

ポイント
親戚などが遠方から来てくれた場合は、日ごろの無沙汰を詫びつつ、参列へのお礼を述べる。
これまでの厚意にお礼を伝え、今後の付き合いもお願いして結ぶ。

162例
法要でのあいさつ

スピーチする人
60代／男性

三十三回忌法要での施主（長男）のあいさつ

はじめ

❶みなさま、本日はお暑い中、足をお運びいただきましてありがとうございます。おかげさまで三十三回忌の法要、ならびに弔い上げの法要を無事終えることができました。

主題・エピソード

父が亡くなってから30年あまり、5年前には、母をわたくしの家に引き取りました。それもあって東京で暮らすわたくしも神奈川で暮らす弟も、こちらにまいることができずに、みなさまにはご迷惑をかけ続け、申し訳ございません。とくに叔父さん夫婦には、この間の墓守りをはじめ、何かとご面倒をおかけしました。**❷このたびの法要をもって、心に一区切りをつけさせていただきたく、弔い上げとさせていただきました。みなさまには長きにわたってお世話になりまして、心より感謝申し上げます。**

むすび

お会いする機会が少ないみなさまと、ゆっくりお話しさせていただきたいと思い、ささやかですが膳のご用意をいたしました。**❸最後になりますが、これからのみなさまのご健康とご多幸をお祈りいたします。**

あいさつの構成

①参列者へのお礼
↓
②弔い上げについて説明
↓
③結びの言葉

法要のマナー

・日取りの決め方…故人の命日が望ましいが、命日の前の参列者が集まりやすい休日などでも可。会社関係者を呼ぶ場合は、仕事状況や行事なども確認する。

・招待するとき…お寺との調整を先に行い、人を招待する場合は、できるだけ早く日程を連絡する。

・招待されたとき…服装は喪服が望ましいが、ダーク系のスーツ・ワンピースでも可。遺族側は三回忌までは喪服が望ましい。

163例 法要でのあいさつ

スピーチする人
60代／男性

改葬（墓じまい）での施主（長男）のあいさつ

はじめ

美智子の息子の俊貴です。❶**このたび、かねてよりご相談していました藤野家のお墓につきまして、わたくしが住む埼玉県の霊園に改葬することになりました。**建安長寺のご住職をはじめ、みなさまには改葬にあたってご意見を伺ったり実際に役所へ問い合わせをしていただいたり、多大なご迷惑をおかけしましたが、ようやく本日、無事に墓じまいと相成りました。

主題・エピソード

❷**これまで遠方に住むわたくしたち家族が墓参りすることが難しく、ご先祖様にも申し訳なく思っておりました。10年前に両親ともに亡くなってしまったとき、改葬してわたくしの住むところに近い場所にお墓を移すのがよいと考えました。**それで、ご住職にご相談をしたのですが、親戚のみなさまにもご理解をいただきまして感謝しています。

むすび

これからは自宅から近い霊園になりますので、きちんと盆・正月の墓参りができます。両親も安心してくれると思います。❸**長年にわたり、たいへんお世話になりました。ありがとうございました。**

注意点

改葬（墓じまい）については、菩提寺や親族などから快く思われない場合や、手続きなどで迷惑をかけることもあるので、集まってくれた方には丁寧にお礼を伝える。

あいさつの構成

①改葬について説明
↓
②改葬の事情
↓
③参列者へのお礼

164例 法要での参列者あいさつ

スピーチする人 40代／男性

四十九日法要での会社関係者のあいさつ

はじめ　主題・エピソード　むすび

❶本日は、故・義家幸喜さんの四十九日法要にお招きいただきありがとうございます。海岡商事の岸上と申します。一言ごあいさつさせていただきます。

❷義家さんには、公私共にたいへんお世話になりました。わたくしの結婚式では仲人をしていただき、その後も家族ぐるみのお付き合いをさせていただいていました。会社での義家さんは、とにかく話し上手で営業トークでは並ぶ者がいないと言われていました。同時に聞き上手な人でもあり、とくに部下の話をよく聞いてくださいました。わたくしも仕事で行き詰まることがあると、真っ先に義家さんに相談していましたので、義家さんが突然お亡くなりになって途方に暮れた一人です。今でもつい義家さんを探してしまうことがあるくらいで、義家さんのいないフロアに慣れるにはまだ時間がかかりそうです。

❸しかし、本日の四十九日法要を一つの心の区切りとして、わたくしたちも前を向いていかなければなりません。義家さんに安心してもらえるよう頑張っていきます。ご遺族のみなさま、どうぞお体に気をつけてお過ごしください。

あいさつの構成

①施主へのお礼
↓
②故人の思い出
↓
③今後の決意

ポイント

故人を偲びつつ、四十九日という区切りにあたっての気持ちを話す。

注意点

浄土真宗では、人は亡くなったらすぐに極楽浄土へ行くことができる「往生即成仏（おうじょうそくじょうぶつ）」の考えが基本。よって浄土真宗の法要の場合は、故人が極楽浄土へ行けることを祈るようなあいさつは避ける。

165例
法要での参列者あいさつ

スピーチする人
30代／女性

一周忌法要での幼なじみのあいさつ

はじめ

本日は、ちひろさんの一周忌法要の席にお招きいただきありがとうございます。**❶わたしは橘と申しまして、ちひろさんとは、家が近所ということで幼いころから仲よくさせてもらっていました。**

主題・エピソード

2年前の夏の日のことは今でも忘れられません。二人で映画を観に出かけたところ、ちひろさんの様子が普段と違いました。**❷帰りに喫茶店に入ると、意を決したように病気のことをわたしに打ち明けました。ちひろさんは「わたしは病と闘う！」と宣言し、それ以来、彼女はつらい治療に耐えました。**病室での彼女はいつも笑顔を絶やしませんでした。そんな彼女の強さにどれだけ驚き、尊敬の念を抱いたか……。おじさま、おばさまにとって、この1年は、ほんとうにおつらかったですよね。わたしも彼女の不在を受け入れるのに、1年かかりました。

むすび

❸大切な友人を亡くした悲しみはかんたんに癒えるものではありませんが、今では、ちひろさんが遠い空の上からわたしたちみんなを見守ってくれている、そう感じます。ちひろさんのご冥福をお祈りし、あいさつといたします。

あいさつの構成
①自己紹介
↓
②故人の思い出
↓
③結びの言葉

ポイント
故人を失ってから1年が経った今の気持ちを飾らずに伝える。

注意点
悲しい気持ちを伝えるのはよいが、1年が経って遺族の気持ちも少し落ち着いてきているところなので、感情的・感傷的になりすぎないように。

166例
法要での参列者あいさつ

スピーチする人
50代／男性

法要での親族代表の献杯あいさつ

はじめ

本日はお暑い中、故・有働則夫のために足をお運びいただきありがとうございます。**❶わたしは則夫の叔父の有働昌則と申します。親戚を代表しまして、一言ごあいさつさせていただきます。**

主題・エピソード

則夫が亡くなったとき、息子の誠一郎は10歳でした。さっき久しぶりに会ったら、声変わりしているわ、身長もわたしより大きくなっているわで、驚きました。子どもの成長はほんとうに早いですね。**❷則夫が亡くなってから、今日子さんはずいぶん苦労したと思います。あまり手伝いもできずに、申し訳なかったけど、誠一郎はこんなに立派な大人になって、今日子さんの苦労も報われましたね。則夫も喜んでいると思います。**

むすび

七回忌法要も無事に終わりまして、ささやかな席を設けました。どうか故人の思い出話をしてください。**❸では、はじめに故人を偲んで献杯させていただきます。「献杯」。**

本日は、ありがとうございました。

あいさつの構成

①自己紹介
↓
②遺族への言葉
↓
③献杯の発声

お布施の渡し方

・現金を包むとき…半紙で包んで奉書紙で包むか、白封筒に入れる。表書きは黒墨（×薄墨）で、上部に「お布施」、下部に名前を書く。

・持ち運ぶとき…弔事用の袱紗（紺色や深緑色、灰青色など）に包んで持ち歩く。紫色は弔事・慶事とも使用可。

・いつ渡すか…葬儀・法事の前か後

・渡すとき…お盆や持参した菓子折りの上に、たたんだ袱紗に載せて渡す。

167例
お別れの会でのあいさつ

スピーチする人
40代／女性

お別れの会での友人代表のあいさつ

はじめ　主題・エピソード　むすび

❶真紀子さん、あなたにこんなに早くお別れを言わないといけない日が来るとは、思ってもいませんでした。

❷思えばわたしたちは、正反対の性格で、周囲の人にどうして二人が一緒にいられるのかわからないとよく言われていましたね。そう言われるたびに、「なんでだろうね？」と顔を見合わせて笑い合っていました。責任感が強く、人一倍努力家の真紀子さんと、マイペースで優柔不断なわたし。学生のころからの付き合いですが、なぜか馬が合って、いつも一緒にいましたね。困ったことがあれば、いつもわたしがあなたに相談。あなたはいつも「しょうがないな～」と言いながら助けてくれました。そんなあなたを突然失ったわたしは、どうしたらいいんですか？　どうしたら……？

❸真紀子さん、これまでほんとうにありがとう。迷惑かけてばかりでごめんなさい。これからは、もう少ししっかりするようにします。真紀子さん、見守っていてくださいね。

あいさつの構成
①故人への呼びかけ
↓
②故人の思い出
↓
③結びの言葉

ポイント
故人へ呼びかけながら、思い出を語り、今の気持ちを伝える。

注意点
「お別れの会」は一般に、葬儀よりも自由な雰囲気で行われるので、友人代表のスピーチは堅苦しくなりすぎないように。

168例 お別れの会でのあいさつ

スピーチする人 50代／男性

お別れの会での会社関係者のあいさつ

はじめ　主題・エピソード　むすび

❶弊社会長、故・横井誠司のお別れの会にお集まりいただき、心よりお礼申し上げます。わたくしは、株式会社信愛堂物産の総務部長の兼光忠と申します。一言ごあいさつさせていただきます。

横井会長は、先日80歳でお亡くなりになりました。**❷会長は、生前、葬儀は家族のみで行うようおっしゃっていたそうです。そのため、葬儀はご家族のみで執り行われ、ご遺族からは今回のお別れの会については遠慮したいとのお申し出がありました。ただ、社内はもちろんのこと取引先はじめ関係各所から、最後のお別れをさせてほしいという話があちこちで上がりました。**ここにお集まりくださったみなさまのそのような思いを、ご遺族にお伝えしたところ受け止めてくださり、今日のお別れ会が実現いたしました。

ご参加くださったみなさまにおかれましては、ゆっくりとお別れができたかと思います。**❸ご遺族のみなさまには、たいへん感謝いたしております。**本日は、まことにありがとうございました。

あいさつの構成

①参加者へのお礼
↓
②会を催した経緯
↓
③遺族へのお礼

お別れの会・偲ぶ会

家族葬など、身近な人だけで葬儀を行った場合、参列できなかった友人・知人が自主的に会を開催する場合が多い。

「お別れの会」は、亡くなった後2週間～四十九日法要の間に行われるのが一般的。「偲ぶ会」は時期に決まりはなく、一年くらいの間に行われることが多い。

双方、自由度が高い分、遺族との相談や会場の手配、関係者への連絡等に手間がかかり、思いのほか開催が遅くなることがある。

169例
お別れの会でのあいさつ

スピーチする人
60代／女性

お別れの会での遺族からのお礼のあいさつ

はじめ　主題・エピソード　むすび

本日は、このように大勢の方にお越しいただき、心から感謝いたします。また、**❶会を主催してくださったみなさまには、この場をお借りして、あらためてお礼を申し上げます。**

夫はご存じのとおり多趣味な人間で、行く先々で多くの方にお世話になっていました。特に退職してからは、それまでの釣りに加えて、詩吟の教室に通ったり将棋クラブに入会したりと、忙しく日々を過ごしていました。**❷もともと心臓が悪かったため、健康には不安を抱えておりましたが、本人は毎日楽しげで、亡くなる前には「思い残すことはない」とはっきり言っておりました。**最期の日々は、夫婦でいろいろな思い出を語り尽くして過ごすことができましたので、わたくしも心穏やかに夫を見送ることができました。

❸これからは、遺族一同、みなさまのこれまでのご厚意に感謝しながら、前を向いて歩いていく所存です。本日は、まことにありがとうございました。今後ともよろしくお願いいたします。

あいさつの構成
①主催者へのお礼
↓
②故人の思い出
↓
③今後の決意

ポイント
会の主催者へ感謝の気持ちを伝える。
故人と過ごした日々の様子を話しながら、心の整理をしてきた旨を話すと、参加者たちも安心できる。

170例
偲ぶ会でのあいさつ

スピーチする人
40代／女性

偲ぶ会での友人代表のあいさつ

はじめ　主題・エピソード　むすび

❶木場さん、あなたが亡くなってから早1年が経とうとしています。あれから、事あるごとにあなたとの思い出が蘇ってきては、もうあなたと笑い合うことはできないという現実に、しばし呆然とすることもありました。

❷あなたはわたしにとって、いわば母のような存在でした。わたしは小学生のときに母を亡くしました。中学校でクラスメイトになったあなた。なぜだかわからないのだけど、わたしは人生の岐路に立つと、いつもあなたの優しい笑顔が浮かんでくるんです。わたしが悩みを相談すると、いつも明るく、「大丈夫、なんとかなるよ」と励ましてくれましたね。暗い陰に引っ込もうとするわたしを、明るい光で照らし続けてくれたあなた。まさにわたしにとって大切な母のような存在でした。あなたのいない世界はとても寂しいです。

❸でも、今日ここに集まったみなさんとお話しをする機会を持てて、少しでも前を向いて生きていかなければと強く決心しました。木場さん、これまでほんとうにありがとうございました。

あいさつの構成
①故人への呼びかけ
↓
②故人の思い出
↓
③今後の決意

ポイント
偲ぶ会では、故人との思い出を振り返る。大切な友人を亡くした気持ちを、会に参加した人たちと共有するような内容に。

注意点
寂しさばかりを語ると聞き手もつらくなるので、最後は前向きな一言で結ぶとよい。

171例 偲ぶ会でのあいさつ

スピーチする人
60代／男性

偲ぶ会での幹事のあいさつ

はじめ

❶本日は、故・木梨零士先生を偲ぶ会にご出席いただきありがとうございます。わたくしは、不肖の弟子、偲ぶ会幹事の反田と申します。本日は遠方よりご出席いただいた方も多く、また事情により出席いただけなかった方からの電報を多数いただいております。これも木梨先生のお人柄ゆえと思います。

主題・エピソード

❷先生は、20代のころから亡くなられた79歳まで、書道一筋の人生を歩んでこられました。東京に始まり、その後、長野、大阪、そしてこの広島と、家移りなさった各地で書道教室を開かれました。それゆえお弟子さんたちが開かれた書道教室は全国にございます。晩年、先生は「みながわたしの志を引き継ぎ、広めてくれて、ほんとうに嬉しい」とおっしゃっていました。お弟子さんたちが先生とお別れをする機会を設けさせていただきたく思い、奥様にご相談して、今日の会を開きました次第です。

むすび

❸「文字は人なり」と申します。今日ここに飾らせていただきました作品をご覧いただきながら、先生のありし日を偲んでいただきたいと思います。

あいさつの構成

①参加者へのお礼と自己紹介
↓
②故人の思い出
↓
③結びの言葉

ポイント

幹事として、参加者へお礼を述べる。

故人の業績や人柄などに触れる内容にし、故人を偲ぶ雰囲気を作る。

注意点

密に連絡をとっている人たち以外が多くいるようであれば、どういう経緯で会を開いたのかを簡単に説明するとよい。

172例
偲ぶ会でのあいさつ

スピーチする人
60代／男性

恩師を偲ぶ会での教え子のあいさつ

はじめ　主題・エピソード　むすび

❶本日は、故・諸富和義先生を偲ぶ会に列席させていただき、ありがとうございます。わたくしは駅伝部10期生の宇田川と申します。

諸富先生は、駅伝部の顧問として40年指導してくださいました。毎日の厳しい練習に、ときには弱音を吐きながらも、必死に食らいついていたことを昨日のことのように感じます。駅伝の最高峰といえば「箱根駅伝」です。創部以来、長年箱根に出ることはできませんでしたが、それでも目指すは「箱根」。正月になると、卒業生も含め、先生のお宅に集まってテレビ中継を見ていました。あれから20年、晴れてわが駅伝部が初めて箱根を走ったとき、みんなで応援に行きました。結果はみなさんご存じの通りですが、**❷先生が学生の勇姿を見ながら一人静かに涙を流されていたことを覚えています。**今日は、みなさんと先生の思い出を心ゆくまでお話しすることができて嬉しいです。

❸結びにあたり、今日の会を催してくださった幹事のみなさんに感謝を申し上げ、わたくしのあいさつといたします。

あいさつの構成

①主催者へのお礼と自己紹介
↓
②故人の思い出
↓
③結びの言葉

自由葬（オリジナル葬）

宗教とは無関係に、内容を自由に決めて行う葬儀。

・音楽葬
故人の好きだった音楽をBGMとして流したり、生演奏をしたりして故人を偲ぶ。

・自然葬
遺骨を山や海に散骨する。山頂や船上などで執り行う。

・花壇葬
故人が好きだった花や育てていた花などで色鮮やかな祭壇を作る。

173例
偲ぶ会でのあいさつ

スピーチする人
60代／男性

偲ぶ会での幹事による献杯あいさつ

はじめ　主題・エピソード　むすび

❶ご指名をたまわり、一言ごあいさつ申し上げます。わたくしは吉田くんとは大学時代の同期の加護温と申します。

❷吉田くんとの思い出を語ろうとすると、おそらく数日はかかると思います。なにせ学生時代、同じ学部で同じ寮に住んでいたこともあって、寝ている以外は一緒にいたと言ってもいいくらいでしたから。彼とは馬が合ったんですね。性格は彼がのんびり、わたくしがせっかちだったのですが、お互いに足りないところを補い合える、それがとても心地よかったのです。彼のチャームポイントは憎めない笑顔でした。たまにけんかしても、彼はその笑顔とともに絶妙なタイミングで謝ってくるんです。だから許さないわけにはいきません。今日は、そんな愛すべき彼をみなさんとともに偲びたいと思います。

❸それでは吉田君のご冥福を祈り、献杯を行います。お手元にグラスをご用意ください。それでは「献杯」。

ありがとうございました。

あいさつの構成
①自己紹介
②故人との思い出
③献杯の発声

ポイント
故人との思い出を述べ、参加者がともに故人を偲べるような内容に。
献杯の音頭をとり、落ち着いた声のトーンで献杯の発声をする。

注意点
亡くなってから時間が経ってからの偲ぶ会で、遺族の気持ちが落ち着いているようであれば、多少ユーモアがあってもよい。ただし、ふざけすぎないようにする。

スピーチする人
70代／女性

招かれた遺族からのお礼のあいさつ

むすび　主題・エピソード　はじめ

❶本日は、息子のためにこのように大勢の方にお集まりいただき驚くとともに、遺族としてまことにありがたく、感謝申し上げます。会を催してくださった会社のみなさまにも心よりお礼を申し上げます。

光彦が亡くなってから1年。急逝した折には、残されたわたしたち遺族は呆然とするしかありませんでした。しかし、会社のみなさまがご支援くださったおかげで、葬儀も法要も無事に執り行うことができました。それだけでもわたしたちの心を穏やかにしてくださったのに加えて、**❷今日はこのような会を催してくださったおかげで、光彦がみなさまに愛されていたことがわかってほんとうに嬉しかったです。また、みなさまとお話しする中で、光彦が会社の一員として立派に仕事をしていた一端を知ることができ、そのことがとても誇らしく思えます。**

❸光彦の生きてきた証を胸に、これからわたしたち遺族は強く生きていこうと思っております。今後ともよろしくお願いいたします。

あいさつの構成

①参加者と主催者へのお礼
↓
②偲ぶ会の感想
↓
③今後の決意

ポイント

遺族のあいさつは、主催者や参加者への感謝を伝えることが中心となる。最後に遺族としての思いを話し、結びの言葉とする。

コラム

葬儀・法要で使えるワンフレーズの〝決め言葉〟

葬儀や法要のあいさつでは、おごそかな雰囲気を壊さないことが重要です。残された遺族を気遣い、参列者の気持ちにも沿うようなフレーズを入れましょう。

●弔問・参列者としてのフレーズ

突然のご不幸に言葉もございません。ご遺族のみなさまの心中をお察しいたします。

本日は、○○○○さんの葬儀に際しまして、友人として、ご遺族のみなさまに心よりお悔やみを申し上げます。

○○さんのご逝去に際し、○○を代表して謹んでお別れのごあいさつを申し上げます。

謹んで哀悼の意を表します。

突然の悲報を、わたしはいまでも信じられません。

あのやさしい笑顔がもう見られないなんて、信じられない思いです。

○○さんの分もみんなで頑張りますので、安らかにおやすみください。

○○さん、どうぞ安らかに眠ってください。さようなら。

あらためて○○さんのご冥福をお祈りして、追悼のごあいさつとさせていただきます。

●遺族としてのフレーズ

ご丁寧なお悔やみをいただきまして、まことにありがとうございます。

生前はひとかたならぬご厚意をいただき、深く感謝しております。

本日はお忙しい中、妻・○○の葬儀にご参列くださり、厚くお礼を申し上げます。

遺族を代表しまして、一言ごあいさつを申し上げます。

亡き父の法要に、たくさんのみなさまにお集まりいただき、心よりお礼を申し上げます。

夫もさぞ喜んでいることと思います。

本日お集まりくださったみなさまのおかげと、あらためて感謝申し上げます。

生前にたまわりましたご厚誼にお礼申し上げます。

これからは、家族で支え合って前を向いて生きてまいります。

ささやかではありますが、お膳を用意させていただきました。時間の許す限り、故人を偲びながらゆっくりお過ごしください。

粗餐を用意していますので、故人の思い出話などを聞かせていただければ幸いです。

今後とも変わらぬご厚情をたまわりますよう、心よりお願いいたします。

■著者
青い鳥スピーチ研究所
結婚式、お祝いの会、葬儀や法要、お別れの会など冠婚葬祭におけるあいさつやスピーチを研究する気鋭のライター、編集者のグループ。朝礼などのビジネスの場、学校行事、PTA活動、地域活動でのあいさつ・スピーチなど、対面・リモートでそのまま使える、生活に関わる幅広い文例と、それぞれの場でのマナーに注目している。

■STAFF
デザイン／DTP：ローヤル企画（松村正広、星野智恵美）
編集協力：用松美穂
企画・編集：斉藤滋人

最新版　短い！伝わる！心に響く！
90秒あいさつ・スピーチ

2024年3月19日　第1刷発行

著　者　青い鳥スピーチ研究所
発行者　東島 俊一
発行所　株式会社 法 研
〒104-8104　東京都中央区銀座1－10－1
https://www.sociohealth.co.jp
編集・制作　**株式会社 研友企画出版**
〒104-0061　東京都中央区銀座1－9－19 法研銀座ビル
印刷・製本　研友社印刷株式会社　0103

小社は（株）法研を核に「SOCIO HEALTH GROUP」を構成し、相互のネットワークにより、“社会保障及び健康に関する情報の社会的価値創造”を事業領域としています。その一環としての小社の出版事業にご注目ください。

ISBN 978-4-86756-103-4　C2077　定価はカバーに表示してあります。

乱丁本・落丁本は小社出版事業課あてにお送りください。

送料小社負担にてお取り替えいたします。